UN

Roedd Joe'n dwlu ar gyw iâr a sglodion yn drwch o sos coch a meionês, yn enwedig ar ôl diwrnod yn yr ysgol. Yn ei farn e, doedd dim byd arall yn cymharu â hynny.

Teimlai'n ddigalon wrth gerdded adre gyda Combi, a doedd yr awyr lwyd a'r glaw yn gwneud dim i godi'i hwyliau. Pan gyrhaeddon nhw Stryd Fawr Bryn Mawr gwyddai Joe fod Combi'n anelu am y Cwt Ffowls, a gallai weld llwyth o blant yn aros y tu allan i'r siop.

"Dw i ddim eisie dim," meddai.

"Dim be?" gofynnodd Combi.

"Cyw iâr a sglodion."

"Pam?"

"Ma Mam wedi dweud bo' fi ddim yn cael. Dim mwy o ddiodydd llawn siwgwr, chwaith."

"Pam hynny?" gofynnodd Combi wrth stopio o flaen y siop têcawê.

Syllodd Joe ar y plant o'i gwmpas yn sglaffio'u cyw iâr a'u sglodion yn awchus. "Dw i'n rhy dew, medde hi." Arhosodd i Combi fynegi syndod, ond dim ond syllu arno wnaeth Combi. "Dyw dy fam di ddim yn pregethu arnat ti?" gofynnodd Joe.

"Am be?"

"Am dy fod di'n rhy dew."

Crychodd Combi ei wefus. "Ond dydw i ddim."

Am foment meddyliodd Joe mai tynnu'i goes roedd Combi. "Ond ti mor dew â fi!"

"Ond dw i'n gymesur," meddai Combi wrth fynd i mewn i'r siop.

Yn gymesur â beth? meddyliodd Joe.

Roedd e wedi gobeithio y byddai Combi'n dangos brawdgarwch trwy beidio â phrynu cyw iâr a sglodion, felly teimlai wedi'i fradychu. Curai'r glaw yn erbyn cwfl ei got wrth iddo aros. Byddai'n dda ganddo gael ymbarél, er na fyddai hynny'n cŵl o gwbl. Âi synau'r plant yn bwyta o'i amgylch yn uwch ac yn uwch, fel haid o hienas yn gloddesta ar antelop, ac roedd arogl y cyw iâr mor gryf nes tynnu dŵr o'i ddannedd.

Daeth Combi allan yn cario Bocs Bargen Arbennig y Cwt Ffowls a safodd o flaen Joe wrth fwyta. "O, dere 'mlaen, cymer beth," meddai, a'i geg wedi'i gorchuddio â sos coch. "Wna i ddim cario clecs."

Syllodd Joe i fyny'r stryd tuag at Caffi Merelli. Edrychodd i lawr ar y cyw iâr a sglodion oedd yn prysur ddiflannu.

Llyncodd boer.

"Ocê, ond ma'n rhaid i ni ei orffen e cyn cyrraedd y caffi."

DAU

Pan gyrhaeddodd Joe a Combi Gaffi Merelli safai mam Joe y tu ôl i'r cownter yn syllu allan trwy'r ffenest. Roedd golwg bell arni. "Haia, Mam," meddai Joe.

"Helô, cariad." Blinciodd Mam ac arogleuo'r aer. "Ydw i'n clywed arogl cyw iâr a sglodion?"

"Fy rhai i oedden nhw," meddai Combi. "Chafodd Joe ddim – wir yr, Mrs Davis."

"Ofynnais i?" Edrychodd Mam draw at Joe. Llyfodd yntau ei wefus.

"Ma'n rhaid dy fod di ar lwgu, 'te?"

"Ydw."

"Da iawn," meddai Mam wrth estyn am blât o

gwpwrdd gwydr. "Dw i wedi paratoi salad tiwna i ti, yn llawn dop o giwcymbr."

"Diolch," meddai Joe.

"Ga i ddiod o Coke, plis, Mrs Davis?" gofynnodd Combi.

"Gwydryn?"

"Na, dim diolch."

Wrth i Mam droi i estyn Coke o'r rhewgell, pwniodd Joe Combi â'i benelin a gwgu.

Beth? ystumiodd Combi â'i geg.

Coke! ystumiodd Joe yn ôl, wrth i Mam droi a sodro'r can ar y cownter.

"Gwydraid o ddŵr, Joe?" gofynnodd Mam.

"Plis," meddai Joe, gan orfodi'i hun i wenu.

Estynnodd Mam wydraid o ddŵr iddo ac aeth i eistedd mewn bwth gyda Combi.

Roedd Caffi Merelli wedi gweld dyddiau gwell. Roedd y paneli Formica ar y waliau yn frwnt ac wedi cracio mewn mannau; roedd gorchuddion coch y seddi, a wnaed o ledr ffug, wedi treulio ac yn drwch o dâp trwsio; ac roedd teils finyl y llawr wedi dechrau dod yn rhydd. Roedd yr holl le wedi'i esgeuluso ers blynyddoedd.

Roedd pensiynwraig, a eisteddai wrth un o'r byrddau eraill, yn ceisio ymestyn ei gwddf at ffenest flaen y caffi. "Joe, ti'n gallu gweld os yw'r bws yn dod?"

Pwysodd Joe yn nes at y ffenest ac edrych i fyny'r ffordd. "Dim eto, Gwen."

"O, dw i'n torri 'mol eisie mynd adre," meddai hi. "Ma 'nhraed i wedi chwyddo i ddwywaith eu maint arferol, a dwi ddim eisie colli dechre *Heno.*"

Gwyliodd Joe y lwmpyn yng ngwddf Combi'n symud i fyny ac i lawr wrth iddo yfed ei ddiod ar ei dalcen, cyn cymryd hoe i gymryd ei wynt. "Ma cyw iâr a slodion wastad yn fy ngwneud i mor sychedig."

"Wir?" meddai Joe wrth bigo ar ei salad.

Yna tynnwyd ei sylw gan Tudur, yr unig gwsmer arall yn y caffi. Roedd golwg ddryslyd ar ei wyneb, a'i geg ar agor led y pen, ac roedd e'n crafu un o'i geseiliau. "Hei, Joe," meddai. "O'n i jest yn dweud wrth dy fam ... dyw hi ddim yn bosib i ti gosi dy hun."

Edrychodd Joe ar Mam. Rholiodd hithau'i llygaid.

"Gall rhywun arall dy gosi di," eglurodd Tudur, "ond alli di ddim cosi dy hun. Tria fe ..."

"Fe gymera i dy air di," meddai Joe.

Sylwodd ar Combi'n llithro'i law i fyny at un o'i geseiliau. "Ma fe'n wir," meddai Combi, cyn eistedd yn ôl a llowcio mwy o'r Coke.

"Edrych ar hwnna!" meddai Joe.

Stopiodd Combi yfed, fel roedd Joe wedi gobeithio. Pwyntiodd at dudalen o bapur newydd wedi'i fframio.

"Ry'n ni wedi rhoi'r erthygl am Nonno ar y wal."

"Weles i fe," meddai Combi.

"Naddo – dim ar y wal," meddai Joe. "Dim ond bore 'ma aeth e lan."

"Ond dw i wedi gweld yr erthygl – am dy dad-cu pan ddathlodd e 'i ben-blwydd yn naw deg."

"Ma fe'n dda, yn dyw e?" meddai Tudur. "'*Beppe Merelli – y perchennog caffi Eidalaidd gwreiddiol olaf yng Nghymru,*'" darllenodd yn uchel. "Dw i'n falch o'i nabod e."

Trodd Joe a gwenu. Pwyntiodd at lun du a gwyn yn ymyl yr erthygl. "A dyna fy Nonno i yn sefyll y tu allan i'r union gaffi hwn—"

"Yn un naw pump tri," torrodd Combi ar ei draws. "Dw i'n gwbod, dw i'n gwbod."

Roedd Joe ar fin siarad, ond pwyntiodd Combi at lun arall. "A dyna'r caffi pan agorodd e yn un naw dau naw," meddai. "Gyda tad dy dad-cu, Vito Merelli, yn sefyll y tu allan. Ti'n gweld? Dw i *yn* gwbod."

"Ti'n neud hwyl am ben fy nheulu i?" gofynnodd Joe.

Crychodd Combi'i drwyn. "Na'dw."

"Be sydd o'i le ar fod yn falch o 'ngwreiddiau Eidalaidd?"

"Ond Cymro wyt ti!"

"Dw i'n Eidalwr!"

"Cymro."

"Felly nid Affro-Garibïad wyt ti, 'te?" gofynnodd Joe.

"Dw i'n Gymro," meddai Combi. "Ac yn Affro-Garibïad ar ochr fy nhad, ond dwi ddim yn rhygnu 'mlaen am y peth. Ddim fel ti. *'O, ddwlen i mai Joe Merelli oedd fy enw i, nid Joe Davis,'* meddai mewn llais gwichlyd. *"'Ma fe'n swnio cymaint yn well ...'"*

Rhoddodd Joe gic iddo o dan y bwrdd.

"*Ddwedaist* ti hynna?" gofynnodd Mam.

"Dw i ddim yn cofio," meddai Joe, gan edrych yn flin ar Combi.

"Wel, ma'n ddrwg gen i am beidio â gofyn dy farn di ynglŷn â'r teulu y dewisais i briodi iddo, Joe," meddai Mam yn goeglyd, "ond doeddet ti heb gael dy eni ar y pryd!"

"Ma Merelli *yn* enw hyfryd," meddai Gwen, "ma'n rhaid dweud."

Gwenodd Joe, yna daliodd lygad Mam. "Dw i'n gweld bod dosbarthiadau taekwondo 'mlaen yn y Ganolfan Gymunedol," meddai hi. "Beth am i fi roi dy enw di lawr, Joe?"

Stopiodd Combi yfed y Coke ac edrych ar Joe.

"O, Mam, i beth?" gofynnodd Joe.

"Er mwyn i ti ddod yn heini."

"Dim taekwondo, Mam."

"Pam lai?"

Fedrai Joe ddim meddwl am reswm.

"Fe glywes i fod rhywun wedi marw wrth wneud taekwondo," meddai Combi.

Pwyntiodd Joe ato. "Yn union!"

Ysgydwodd Mam ei phen. Cynigiodd Combi'r can o Coke i Joe, fel rhyw fath o offrwm heddwch. "Wyt ti eisie bach?"

Ciciodd Joe ef o dan y bwrdd unwaith eto. "Dim diolch, Combi," meddai'n uchel, gan wyro'i lygaid i gyfeiriad Mam. "Dim ond siwgwr sydd ynddo fe. Beth bynnag, bydde fe'n anfoesol."

"Yn anfoesol? Beth? Pam?"

"Alla i ddim gwerthu can o Coke i gwsmer a wedyn yfed tamed ohono fe, alla i?"

"Ond dy fam werthodd e i fi."

"Ie, ond fy nghaffi i yw hwn, Combi."

"O, a ni'n neud ein ffortiwn 'ma ..." meddai Mam, gan barhau i syllu allan ar y Stryd Fawr.

"Wyt ti'n neud hwyl am ben fy nghaffi i, Mam?" meddai Joe, ond cyn iddi fedru ateb agorodd y drws y tu ôl i'r cownter ac yno safai tad-cu Joe.

"Haia, Nonno," galwodd Joe.

"Helô, Mr Merelli," meddai Gwen a Tudur. Cododd Combi ei gan o Coke.

Gwenodd Nonno a nodio ar ei gwsmeriaid ffyddlon.

Roedd e'n ddyn tal a'i lais yn ddwfn ac yn llyfn. "Dw i'n mynd allan am *passeggiata*, Lucia."

"O'r gorau," meddai Mam.

Byddai Joe bob amser yn cadw cwmni i Nonno wrth iddo fynd am dro fin nos. Gwyliodd ei dad-cu yn cau botymau ei got, yn plygu sgarff yn daclus o dan y llabedi ac yn rhedeg ei fysedd o amgylch rhimyn ei het ffelt.

"Gweld ti fory, Combi," meddai Joe. "Neu, gan mai Eidalwr ydw i, fe ddyliwn i ddweud *a domani*!"

"Beth am dy salad di?" gofynnodd Mam.

"Fwyta i fe wedyn," meddai Joe.

Wrth iddo gamu allan gyda Nonno, fedrai Joe ddim peidio ag edrych yn ôl ar Combi. Pwyntiodd ei ffrind ato, a gweiddi, "Cymro wyt ti!"

Gwelodd Joe y bws yn troi i fyny'r Stryd Fawr.

"Gwen!" galwodd, gan guro ar ffenest y caffi. "Bws!"

Ystumiodd ar y bws i stopio wrth i Gwen ruthro allan o'i bwth.

TRI

"Does neb yn neud y *passeggiata* rownd ffordd hyn, oes e, Nonno?" meddai Joe wrth iddyn nhw fynd am dro. "Yn enwedig ddim yn y glaw."

Ysgydwodd Nonno ei ben. "Dim ond ni."

Dim ond unwaith roedd Joe wedi bod i'r Eidal, a hynny pan oedd e'n wyth oed. Er mai atgof pell oedd hynny, cofiai Nonno'n esbonio *la passeggiata* – sef pobl yn mynd am dro ynghanol y dref yn hwyr yn y prynhawn, hyd yn oed yn y gaeaf.

"Mae'n braf gweld pobl yn loetran o gwmpas ac yn sgwrsio," meddai Nonno. "Ma fe fel pe bai'n nodi diwedd y dydd, a ma fe'n neud i ti deimlo dy fod di'n perthyn."

"Ydy," meddai Joe, er nad oedd e'n hollol siŵr beth roedd Nonno'n ei olygu. "Eidalwyr yn y glaw yw'r Cymry," ychwanegodd. Gwyddai Joe fod hwnnw'n hen ymadrodd a fyddai'n gwneud i Nonno wenu. Roedd y gwynt wedi oeri ond wnaeth hynny ddim eu hatal nhw.

"Mynd am eich tro dyddiol, ydych chi, Beppe?" gofynnodd Mr Lewis y cigydd wrth iddo frysio heibio.

Roedd Joe yn hoffi'r ffaith fod ganddo'r un enw â'i dad-cu. "Os mai Beppe yw Joe mewn Eidaleg, pam mai Joe ydw i ac nid Beppe?"

Gwgodd Nonno rhywfaint. "Roedd dy fam yn meddwl mai Joe ddylet ti fod, gan fod gyda ti gyfenw Cymreig."

Teimlodd Joe bang o euogrwydd o wybod bod Mam wedi clywed bod yn well ganddo'r cyfenw Merelli.

Wedi iddyn nhw gerdded ychydig yn bellach, stopiodd Nonno. "Ma dy fam yn mynd i werthu, Joe."

"Yn bendant?"

Syllodd Nonno ar draws y stryd a rhoi'r nod leiaf posibl. "Ma hi wedi ffonio'r arwerthwyr," meddai. "Falle'i bod hi'n bryd."

"Dw i ddim yn deall pam," meddai Joe.

"Edrych." Chwifiodd Nonno law tuag at y siopau ar ochr arall y Stryd Fawr. "Mae'n ofnadw, Joe. Unwaith, roedd y lle 'ma'n llawn siopau. Llwyth o fusnesau.

Sawl blwyddyn yn ôl bellach, wrth gwrs. Ma'r hen gaffi Bracchi wedi mynd – siop fetio nawr … Dyw pobl jest ddim yn aros yn hir pan fyddan nhw'n dod lan i'r Stryd Fawr erbyn hyn."

Edrychodd Joe ar y siopau oedd yn weddill – siop fetio; siop gigydd; ambell siop têcawê, gan gynnwys y Cwt Ffowls; y Co-op a Swyddfa'r Post, ac Emporiwm Mr Malewski. Roedd y gweddill wedi cau.

"Ma Emporiwm Mr Malewski yn brysur o hyd," meddai Joe wrth iddyn nhw stopio o flaen y siop a werthai gynnyrch o Ddwyrain Ewrop. Cododd Mr Malewski ei law o'r tu mewn i'r siop a chwifiodd Nonno ato. "Dyn ffeind. Busnes da."

"Ma Mam yn dweud bod pobl o Ddwyrain Ewrop yn cymryd drosodd yn y dre," meddai Joe.

"Ma nhw'n dod 'ma ac ma nhw'n gweithio'n galed iawn," meddai Nonno. "Yn union fel y gwnaeth fy Mhapà i."

Roedd Joe'n casáu meddwl am Gaffi Merelli'n cau. "Ond dw i'n caru'r caffi," meddai, gan edrych i fyny ar ei dad-cu.

Gwenodd Nonno. Edrychai fel gwên drist i Joe, a theimlodd law Nonno'n disgyn yn drwm ar ei ysgwydd. Roedd dŵr yn cronni yn llygaid ei dad-cu, ond fedrai Joe ddim bod yn siŵr ai'r gwynt oedd yn gyfrifol ynteu a oedd e'n crio.

PEDWAR

Byddai Joe a'i deulu'n bwyta'u prydau ac yn coginio bwyd i'r cwsmeriaid yn y gegin y tu ôl i'r caffi. Roedd yno fwrdd, a silffoedd yn gwegian â chyflenwad o gwpanau papur, napcynnau, potiau pupur a halen a thuniau o wahanol fwydydd.

Rhoddodd Joe help llaw wrth i Nonno baratoi swper yn y gegin. Roedd y drefn hon wedi hen sefydlu. Heno roedden nhw'n gwneud *lasagne*, ffefryn Joe. Hymiodd Nonno i gyfeiliant un o'i CDs opera wrth goginio.

"Pa opera yw hon, 'te?" gofynnodd Joe.

"*La Traviata* gan Verdi," meddai Nonno.

"Be sy'n digwydd ynddi?"

"Ma Violetta'n marw."

"O, reit ... pam bo' nhw wastad yn marw?"

Gwgodd Nonno. "Dyna opera i ti."

Roedd Joe wrth ei fodd yn helpu Nonno i lenwi'r ddysgl bobi â haenau o basta, cig mins a thomato, a'r saws gwyn.

O fewn dim daeth tad Joe i mewn yn swnllyd trwy ddrws y cefn.

"Iawn, Joe? Beppe?" Aeth yn syth at y sinc i olchi'i ddwylo. "Tair soced wal ddwbl newydd – dyna wnes i i Mr Choudary," meddai. "A'r cyfan o fewn awr heb fod angen ailaddurno."

"Grêt," meddai Joe.

Sychodd Dad ei ddwylo a rhoi'i freichiau o amgylch ysgwydd Joe. "Ma fe'n arogli'n fendigedig. Ry'ch chi'n ei ddysgu fe'n dda, Beppe."

Gwenodd Nonno a nodio'i ben. Yr eiliad honno agorodd drws y caffi a daeth Mam i mewn. Diffoddodd y golau y tu ôl iddi a chafodd Joe gip ar y caffi mewn tywyllwch cyn iddi gau'r drws. "Dyna ddiwrnod arall llawn cynnwrf wedi dod i ben," meddai, cyn cyfarch tad Joe â chusan.

Dechreuodd Joe osod y bwrdd. "Mam, wyt ti'n bendant yn mynd i werthu'r caffi, 'te?"

"Ydw, Joe," meddai. "Dyw'r caffi 'ma ddim fel y buodd e – dyw e heb fod ers blynyddoedd. Dim ers fy mod i'n ferch fach."

"Ond, Mam, ro'n i'n meddwl 'mod i'n mynd i gymryd yr awenau pan fydda i'n un ar bymtheg. Fe gei di ymddeol."

"Ymddeol? Gwrandewch arno fe! Cymryd pa awenau, Joe?" gofynnodd. "Yr hyn dwyt ti ddim yn sylweddoli yw nad y caffi 'ma sy'n talu'r biliau ..." Nodiodd draw at Dad. "Dy dad a'i waith trydanol – fe sy'n ennill arian er mwyn i ni allu byw 'ma. Yr unig beth sy'n gwneud y tŷ 'ma yn wahanol i unrhyw dŷ arall yw'r stafell 'na yn fan'na ..." Pwyntiodd at ddrws y caffi. "Ma fe'n agor mas ar y Stryd Fawr ac ma pobl yn galw heibio am ddiod boeth, bynsen stêl a chyfle i eistedd i lawr. Dyna'r unig wahaniaeth. Dy'n ni ddim yn elusen, Joe."

"Na, ond—"

"Dw i ddim yn cofio'r tro diwethaf i rywun archebu bwyd, heblaw am frecwast," meddai Mam. "Pan fydda i'n agor y til 'na bob nos, does prin ddigon o arian i dalu am y gwres a'r golau, heb sôn am gyflog."

"Ond ble fydden ni'n byw?" gofynnodd Joe.

"Gallen ni brynu tŷ bach, wrth y môr ym Mhenarth, falle. Fe ga i waith – does dim ots gyda fi beth – gall Nonno ei chymryd hi'n araf bach, a gall Glyn gario 'mlaen gyda'i waith trydanol."

Agorodd Nonno'r ffwrn a chario'r *lasagne* berwedig i ganol y bwrdd.

"*Pronto*," meddai.

"Paid ag anghofio dy salad, Joe," meddai Mam.

Cymerodd bawb sedd.

Gwyliodd Joe Nonno'n gweini'r *lasagne* chwilboeth. Dechreuodd pawb fwyta a sgwrsio am eu diwrnod, ond yn sydyn doedd dim chwant bwyd ar Joe. Edrychodd draw at y drws a arweiniai i'r caffi. Fe oedd Joe Davis, etifedd Caffi Merelli ym Mryn Mawr. Pe byddai'r caffi'n cael ei werthu dim ond Joe Davis fyddai e, Joe Davis yn byw mewn tŷ. Doedd hynny ddim yr un fath.

PUMP

Roedd Joe'n meddwl ei fod e'n ddoniol ei fod e'n byw yng Nghymru ond bod gyda nhw deulu yn yr Eidal.

"Ma Mimi'n anfon ei chariad," meddai Nonno, gan syllu ar sgrin y gliniadur.

Crychodd Joe ei wefus. "Fe aeth hi ar fy nerfau i pan aethon ni draw 'na."

"Ma hi'n gyfnither i ti, Joe."

"Ail gyfnither ... cyfyrderes ... beth bynnag ... Fe lusgodd hi fi rownd y lle a siarad yn ddi-baid, ac fe ddywedodd i 'mod i'n bwyta gormod o hufen iâ. Roedd hi'n fy ngalw i'n 'Joe Gelato'."

Chwarddodd Nonno, cyn ysgwyd ei ben yn

ddifrifol. "Does dim gwaith mas 'na, medde hi. Ma hi'n gweithio mewn bar caffi. Am wastraff – ma hi'n gogydd gwych. Fe ddylen ni ei gwahodd hi draw 'ma."

"I beth?" gofynnodd Joe, gan ddychmygu Mimi'n dweud wrtho ei fod e'n rhy dew, a Mam yn cytuno â hi.

"Byddai tipyn mwy o siawns ganddi o gael swydd yma," meddai Nonno. "Gallen ni gynnig bwyd Eidalaidd da." Teipiodd ymateb yn araf ar y gliniadur. "Ma hanes yn ailadrodd ei hun, Joe."

"Be ti'n feddwl?"

"Wel, fe ddaeth dy hen dad-cu, Vito, yma gan nad oedd gwaith yn yr Eidal, 'nôl yn un naw dau pump. Nawr ma pobl o'r Eidal a Romania a Gwlad Pwyl, a phob math o wledydd, yn dod draw i chwilio am waith. Ti'n gweld – yn union fel fy nhad i."

"Ma Mam yn cwyno am y bobl o Ddwyrain Ewrop, yn dyw hi?"

"Ddylai hi ddim," meddai Nonno. "Mae'n gwbl naturiol i chwilio am waith er mwyn ennill arian i wella dy fywyd. Ma nhw'n gweithio'n galed hefyd."

"Nonno, fe ddywedest ti dy fod ti'n mynd i adrodd hanes y caffi wrtha i, ar ôl i'r dyn papur newydd 'na fod 'ma'n dy gyfweld di yr wythnos o'r blaen. Fe ddywedest ti y byddet ti'n ei recordio fe fel … rhywbeth neu'i gilydd …"

"Hanes llafar," meddai Nonno.

"Dyna ni. Wel, fe ddylen ni. Hynny yw, fe ddylet ti wneud."

"Wrth gwrs," cytunodd Nonno wrth deipio.

"Fe af i i nôl dy hen recordydd tâp di," meddai Joe.

"Beth, nawr?"

"Pam lai?"

Gwenodd Nonno. "O'r gorau."

Synhwyrodd Joe fod Nonno braidd yn swil i ddechrau. Felly gofynnodd rywbeth iddo nad oedd erioed wedi meddwl amdano tan y foment honno. "Nonno, doedd yr erthygl yna ddim yn esbonio pam y daeth Eidalwyr i Gymru yn arbennig." Gwasgodd y botwm recordio ar y recordydd tâp.

"Roedd yr Eidalwyr ym mhobman, Joe. Dros dde Cymru i gyd," meddai Nonno. "Fe ddaethon nhw yma oherwydd bod gan y de ddigon o lo i gyflenwi'r byd – dim ond ei gael e allan o'r ddaear oedd angen gwneud. Daeth y rhan fwyaf o'r Eidalwyr o ogledd yr Eidal, yn enwedig o ardal y Bargi. Fe ddaethon nhw yma am y gwaith, ond lle ma 'na waith mae'n rhaid i bobl fwyta. Felly fe ddaethon nhw yma er mwyn bwydo pobl hefyd, a phan oedd gyda nhw ddigon o arian fe agoron nhw gaffis. Dyna roedd Papà yn ei wneud cyn i fi gael fy ngeni."

"Beth roedd e'n ei feddwl o'r Cymry?" gofynnodd Joe.

"O, roedd e'n dwlu arnyn nhw – ma nhw'n bobl â chân yn eu heneidiau. Dw i'n meddwl mai dyna pam fod Eidalwyr a Chymry'n gweddu i'w gilydd cystal. Byddai Papà wastad yn chwarae cerddoriaeth yn y caffi, tamed o Verdi neu Puccini, neu ganeuon o Napoli. Roedd e wastad yn barod i helpu pobl, hefyd, boed nhw'n Gymry neu'n Eidalwyr oedd newydd gyrraedd 'ma, neu unrhyw un, a dweud y gwir. Roedd 'na bobl o rannau eraill o Ewrop bryd hynny hefyd, yn union fel nawr."

"Beth am y caffi," gofynnodd Joe, "hynny yw, pan agorodd e gynta?"

"O, roedd y caffis Eidalaidd yn boblogaidd – lle i ymgynnull, ti'n gweld, Joe. Rhywle i fod, i fynd iddo. Roedd Caffi Merelli wastad yn brysur, reit o'r dechre. Ro'n ni'n gwerthu te, coffi a phob math o ddanteithion. Bryd hynny doedd gan bobl ddim syniad am fwyd Eidalaidd – erbyn hyn mae e ym mhob man ar draws y byd, wrth gwrs. Yn yr haf bydden ni'n gwerthu hufen iâ. Byddai Papà yn sefyll yn nrws y caffi yn ei got wen a'i het wellt, ac yn edrych tua'r awyr gan ddweud, '*Beppe! Vai a vendere gelato.*' Ro'n i wastad ychydig yn nerfus wrth wthio'r cert o gwmpas y strydoedd, ond mynd fyddwn i. Ro'n i tua'r un oed â ti, Joe. Byddwn i'n canu'r gloch ac yn galw 'GELATO!' Daeth pawb i ddysgu mai hufen iâ yn Eidalaidd oedd hynny, wrth gwrs. A doedd hi ddim yn hir nes bod pobl yn ciwio wrth fy nghert i. Byddwn i'n sgwpio pelen o'r hufen iâ ac yn ei gwthio i gôn. Weithiau byddwn i'n rhoi ychydig bach mwy os oedd e i ffrind neu i ferch oedd wedi mynd â fy ffansi."

"Felly pam roeddet ti'n nerfus?" gofynnodd Joe.

"O, roedd 'na ambell fachgen ambyti'r lle a fyddai'n taflu'i bwysau. Dw i'n cofio un diwrnod ro'n i'n gwerthu llwyth o hufen iâ am ei bod hi'n ddiwrnod poeth pan ymddangosodd Joni Corbett â chwpwl o'i fêts. 'Rho un i ni, 'te,' medde fe. Dyma fi'n sgwpio pelen o hufen iâ, ei gosod mewn côn a'i roi iddo. 'Ni hefyd,' medde'r bechgyn eraill. Felly dyma fi'n gwneud dau arall. 'Tair ceiniog, plis,' medde fi, gan ddal fy llaw allan.

"'Do'n ni ddim yn gwbod bod yn rhaid i ni dalu amdanyn nhw,' medde Joni. 'Ddylet ti fod wedi dweud hynny cyn eu rhoi nhw i ni!'"

"Am dwpsyn!" meddai Joe.

"Fydde fe ddim wedi gwneud hynny pe bai 'na bobl eraill ambyti'r lle. Fe ddwedodd e wrtha i, 'Ro'n i'n meddwl eich bod chi Eidalwyr yn rhoi hufen iâ am ddim gan ein bod ni wedi rhoi gwaith a lle i fyw i chi.' Ro'n i'n grac, yn enwedig o feddwl pa mor galed roedd Papà a Mamma'n gweithio. 'Tala fi,' medde fi, er 'mod i'n gwbod 'mod i mewn trwbwl. 'Ti am neud i fi dalu, wyt ti?' medde fe."

"Beth ddigwyddodd?" gofynnodd Joe.

"Dyma nhw'n ymosod arna i. Fe ymladdais i 'nôl, cofia, ond fe wthion nhw'r cert drosodd a rhedeg i ffwrdd. Pan gyrhaeddais i 'nôl fan hyn es i mewn trwy'r iard gefn, ond roedd Mamma'n gallu gweld bod rhywbeth wedi digwydd gan fod marciau ar fy wyneb i ac roedd fy siaced i wedi rhwygo. Doedden nhw heb fynd â'r arian, diolch byth – dyna'r cyfan oedd yn bwysig i fi.

"Fe lanhaodd Mamma fi. 'Plis peidiwch â dweud wrth Papà,' medde fi. Dyma hi'n rhoi cusan i fi ar fy nhalcen ac yn codi un bys, fel rhybudd. 'Am nawr, fe gadwa i'n ddistaw ... am nawr.'

"Yn y caffi, ro'n i'n teimlo'n saff, ti'n gweld – fy nhiriogaeth i oedd e. Fy nghaffi i."

Gwenodd Nonno ac oedodd. "Dw i'n falch dy fod di am glywed y stori, Joe, ond dw i wedi blino. Tamed bach ar y tro, ie?"

"O'r gorau. Dim problem."

"Arhosa i wrando ar damed o opera gyda fi, Joe."

Rhoddodd Nonno *La Traviata* gan Verdi i chwarae eto.

"Cerddoriaeth hyfryd," meddai Joe, ac am y tro cyntaf roedd e'n golygu hynny.

CHWECH

Roedd gan Nonno apwyntiad doctor ar ôl ysgol y
diwrnod canlynol a dywedodd Joe y byddai'n mynd
gydag e. Roedd ystafell aros y doctor yn llawn fel tun
o domatos erbyn iddyn nhw gyrraedd.

"Helô, Beppe," meddai Lilly Matthews wrth iddyn
nhw gyrraedd.

"*Ciao*, Lilly." Cymerodd Nonno ei llaw a'i chusanu.

"Gŵr bonheddig bob amser. Sut wyt ti?"

"Yn iawn, diolch. Wyt ti wedi bod yn aros yn hir?"
gofynnodd iddi.

"Dros hanner awr, ac roedd sawl un 'ma cyn hynny."

Syllodd Beppe o amgylch yr ystafell aros cyn dweud,

"Weli di'r holl bobl sydd 'ma, Joe? Dyma pa mor llawn roedd y caffi'n arfer bod. Ti'n cofio, Lilly?"

"Ydw, dw i'n cofio," meddai hi. "Canolbwynt y dre, dyna oedd Caffi Merelli."

Gwenodd Nonno. "Doedd hi byth yn dawel yn y caffi – roedd wastad pobl 'na. Wastad."

Daeth cyhoeddiad dros yr uchelseinydd. *"Lilly Matthews i weld Doctor Dhital, stafell dau."*

"Hen bryd," meddai Lilly wrth godi.

Trawodd Nonno law Joe yn ysgafn. "Mae'n drueni nad yw'r caffi mor llawn â'r stafell aros 'ma mwyach."

Teimlai Joe yn flin drosto, yn enwedig ar ôl y stori a adroddodd ar y tâp.

Yn ddiweddarach, pan gawson nhw eu galw trwodd, gorfod i Nonno dynnu'i grys er mwyn i'r doctor wrando ar ei frest. Llenwyd yr ystafell â sŵn ei anadlu trwm, hir. Rhoddodd Nonno winc i Joe, ond ymddangosai'n hŷn, rywsut, ac yn fwy bregus, a gwnâi hynny i Joe deimlo'n anesmwyth – bron fel pe bai arno ofn rhywbeth.

Bob bore byddai Nonno'n agor y caffi er mwyn helpu i goginio brecwast. Byddai Joe'n cynnig help llaw hefyd, gan mai dyma'r unig adeg prysur o'r dydd.

Tra bwytai Joe ei frecwast ei hun yn y caffi byddai'n gwylio Nonno'n gweini. Edrychai mor smart bob amser yn ei got wen a'i het. "Helpwch eich hunain i sos, ŵyr bonheddig," meddai wrth osod y platiau ar y byrddau o flaen y cwsmeriaid. "Os hoffech chi fwy o de neu goffi, dim ond gofyn sydd angen. Dim tâl ychwanegol." Yna byddai 'nôl y tu ôl i'r cownter, yn gwylio dros bawb ac yn clirio a thacluso. Clywodd Joe rywun yn defnyddio'r gair *urddasol* wrth ddisgrifio Nonno, ac, ym marn Joe, dyna'r union air. Canodd cloch y caffi wrth i Tudur gyrraedd. "Bore da, Mr Merelli – yr arferol, plis."

Nodiodd Nonno arno. "Wrth gwrs. Yn syth bin."

Eisteddodd Tudur gyferbyn â Joe. "Sut ma pethe?"

"Iawn, diolch."

"Be wyt ti'n fwyta?"

"Te. Wy wedi'i sgramblo ar dost."

"Hyfryd. Dechre da i'r dydd," meddai Tudur. "Ma fe'n ddoniol, yn dyw e? Fyddet ti byth yn dychmygu cael yr wyau, y tost a'r te 'na i gyd wedi'u stwnsho ar un plat, fyddet ti?" Ond unwaith iddo gyrraedd dy stumog di, lle mae'n cael ei gymysgu i gyd, does dim ots, nagoes?"

"Wel, does dim pwyntiau blasu gyda ti yn dy stumog," meddai Joe.

"Ti'n iawn," cytunodd Tudur. "Dal yn rhyfedd, cofia."

"Be sydd ar yr agenda heddi, 'te?" gofynnodd Joe

iddo, gan feddwl ei fod yn gwestiwn da i'w ofyn er mwyn creu cysylltiadau cadarn â'r cwsmer (roedd Nonno wastad yn dweud bod hynny'n bwysig).

"Ma gyda fi gyfweliad yn y Ganolfan Gwaith am un ar ddeg, ond dwi i eisie bod o 'na'n reit handi achos ma llwyth gyda fi i'w wneud yn y rhandir, ac ma *Hedd Wyn* ar y teledu am hanner awr wedi dau."

"Beth yw hwnna? Ffilm?"

"Ie. Mae'n wych. Hanes Bardd y Gadair Ddu. Cafodd ei henwebu am Oscar 'nôl yn 1993. Ma'r DVD gyda fi ond ma rhywbeth braf ynglŷn â gwylio ffilm pan ma hi'n cael ei dangos ar y teledu – ma'n neud i fi deimlo'n glyd i gyd. Ti'n deall be dw i'n feddwl?"

Daeth Combi i mewn i'r caffi gan ddal bynsen eisin wedi hanner ei bwyta. "Joe, ti'n dod i'r ysgol?"

Cododd Joe yn anfoddog. Byddai'n well ganddo aros yn y caffi damed yn hirach. Daeth Nonno â chwpanaid o de i Tudur a rhoi'i law ar ysgwydd Joe. Pan edrychodd Joe i fyny i'w lygaid profodd y teimlad anesmwyth unwaith eto.

"Gweithia'n galed," meddai Nonno wrth godi'r plât a'r mwg gwag.

Teimlodd Joe ias yn treiddio i lawr ei asgwrn cefn wrth iddo wylio Nonno'n cerdded 'nôl y tu ôl i'r cownter.

SAITH

Gadawodd Joe yr ysgol er mwyn cael cinio gartref, fel arfer, ond teimlai ar binnau heddiw, fel pe bai rhywbeth o'i le. Pan gyrhaeddodd y caffi gwelodd fod Gwen yn ei man arferol, ac roedd Mam yn sgwrsio â Natalie, mam Combi.

"Helô, cariad," meddai Mam. "Dw i wedi paratoi salad wy i ti."

"Dw i jest eisie gweld Nonno'n gynta," meddai Joe. "Ble ma fe?"

"Yn y cefn."

Aeth Joe drwodd, ond doedd Nonno ddim yn y gegin. Aeth i fyny'r grisiau i'r ystafell fyw. "Nonno!" galwodd.

Dringodd y grisiau i ystafell Nonno ym mhen ucha'r tŷ. Cnociodd ar y drws, ond doedd dim ateb. Dechreuodd ei galon garlamu wrth iddo fynd i mewn i'r ystafell.

Roedd Nonno'n eistedd yn ei gadair freichiau. Roedd ei wyneb fel pe bai ar dro. Agorodd ei geg ond edrychai fel pe bai'n cael trafferth siarad wrth iddo estyn tuag at Joe.

"Mae'n iawn, Nonno," meddai Joe wrth iddo gymryd ei law, er ei fod yn gwybod nad oedd popeth yn iawn o bell ffordd. Ffoniodd am ambiwlans. "Fy Nonno i, hynny yw, fy nhad-cu i ... ma rhywbeth o'i le. Dewch ar unwaith, plis!" Adroddodd y cyfeiriad wrth redeg i lawr y grisiau i'r caffi. "Mam! Ma rhywbeth o'i le ar Nonno!"

Dywedodd Joe wrthi fod yr ambiwlans ar y ffordd, ac aeth y ddau yn ôl i fyny'r grisiau. Pan welodd Mam Nonno fe ddechreuodd grio.

Teimlai Joe yn ddiwerth wrth iddyn nhw aros am yr ambiwlans, ac yna cafodd syniad.

Roedd e'n beth rhyfedd i'w wneud, ond dewisodd *La Triviata* a'i roi yn y chwaraewr CD.

"Be ti'n neud, Joe?" gofynnodd Mam.

"Mae'n iawn," atebodd Joe.

Eisteddodd y ddau gyda Nonno, gan ddal yn ei law a gwrando ar y gerddoriaeth brydferth hyd nes y cyrhaeddodd yr ambiwlans.

WYTH

Roedd y caffi ar gau drannoeth.

Doedd Nonno erioed wedi bod yn sâl o'r blaen, heblaw am ambell annwyd. Yn iach fel cneuen, dyna ddywedai Mam. Ond nawr, roedd e wedi cael strôc. Roedden nhw i gyd yn sefyll ar waelod y gwely yn yr ysbyty'n syllu i lawr arno. Roedd e wedi drysu o hyd. Bob hyn a hyn, daliai Joe ei anadl er mwyn stopio'i hun rhag crio, ond doedd hynny ddim yn helpu.

Cyn gynted ag y cyrhaeddon nhw yn ôl i'r caffi aeth Joe i fyny'r grisiau er mwyn ysgrifennu at Mimi ar y gliniadur. Roedd e'n meddwl y byddai'n dda ganddi wybod am yr hyn oedd wedi digwydd. Esboniodd nad oedd Nonno'n gallu defnyddio un o'i freichiau, na cherdded heb gymorth. Roedd y doctor wedi esbonio y byddai sesiynau ffisiotherapi yn ei helpu i wella, ond y byddai hynny'n cymryd misoedd lawer. Wedi iddo anfon y neges aeth Joe i fyny i ystafell wely Nonno a sylwodd fod y recordydd tâp yn dal yn y lle y gadawodd Nonno ef. Aeth â'r tâp yn ôl i'r dechrau a gwasgu'r botwm 'Chwarae'. Roedd llais Nonno mor glir â phe bai e yn yr ystafell.

"Roedd y caffi ar agor bob dydd gan gynnwys dydd Sul, pan fydden ni'n agor yn y bore. Roedd wastad rhywbeth i'w wneud – coginio, gwneud diodydd, gweini a glanhau.

Roedd Papà yn cadw bwydydd hefyd. Roedd e'n gwneud salami a chaws, ac yn piclo neu'n sychu popeth dan haul – tomatos, corbwmpenni, ffa gwyrdd a hyd yn oed ffrwythau, fel eirin gwlanog, gellyg, orenau. Roedd gyda ni jariau a jariau o fwyd wedi'u piclo wedi'u pentyrru yn yr atig ac yng nghypyrddau'r gegin. Bydden ni'n gwerthu cynnyrch hefyd, fel mae Mr Malewski'n gwneud nawr.

Roedd Papà a Mamma wir yn poeni am bobl. Roedd llawer o gwsmeriaid 'ar hen gownt', fel y bydden ni'n dweud, a olygai nad oedd yn rhaid iddyn nhw dalu'n syth, dim ond pan oedd yr arian gyda nhw. Roedd e'n gyfnod prysur. Roedd y glowyr ar hyd a lled yr ardal yn cynhyrchu tunelli o lo – glo a gâi ei gludo i lawr i ddociau Caerdydd a'r Barri a'i anfon ar draws y byd. Byddai'r glowyr yn aml yn dod i'r caffi cyn ac ar ôl eu shifft. Fyddai Papà byth yn cwyno pan fyddai'r seddi a'r cadeiriau'n mynd yn frwnt o achos llwch y glo, oherwydd y glowyr oedd ein cwsmeriaid gorau ni.

Yr hyn dw i'n gofio'n fwy na dim arall yw'r ffaith fod Papà yn gweithio'n galed. Roedd e'n arfer dweud wrtha i mai gorffen y dydd gan wbod dy fod wedi'i lenwi â gwaith caled oedd y teimlad gorau yn y byd.

Tua un naw tri wyth oedd hi pan gafodd Papà lythyr gan Mario, ei frawd yng nghyfraith, 'nôl yn ei dref enedigol. Roedd trwbwl ar droed yn yr Eidal – roedd Benito Mussolini a'i ffasgiaid mewn grym. Roedd Papà yn poeni gan ei fod e'n deyrngar i'r Eidal ond roedd ei fywyd e yma yng Nghymru.

Anfonodd delegram at Mario yn dweud wrtho am ddod draw i Gymru gyda'i chwaer – byddai gwaith a chroeso mawr iddyn nhw yma. Anfonodd Mario delegram yn ôl ato'n dweud nad oedd llawer o arian gyda nhw a bod Mussolini'n cyfyngu ar y nifer o Eidalwyr oedd yn cael gadael yr Eidal. Felly anfonodd Papà delegram arall a thamed o arian ato – 'Dewch draw ar frys. Beth bynnag mae'n gymryd.'

Ychydig fisoedd wedyn, cyrhaeddodd Mario a Zia, fy modryb. Hi oedd hen fam-gu Mimi. Erbyn iddyn nhw gyrraedd, doedd Papà prin yn eu nabod nhw gan eu bod nhw mor denau.

Dywedodd Mario wrthon ni eu bod nhw wedi teithio trwy Ffrainc gan fod eu harian nhw wedi dod i ben. Dw i'n cofio helpu i goginio'r swper y noson honno. Roedd gan Zia ddagrau yn ei llygaid wrth i Papà ddod â'r bwyd i'r bwrdd.

Siaradodd Mario am faint roedd e'n poeni. Ti'n gweld, roedd Mussolini'n dod yn fwy o fêts gyda Hitler, ac os âi pethau ymhellach roedd Mario'n poeni sut byddai hynny'n effeithio ar eu teulu a'u ffrindiau nhw 'nôl yn yr Eidal. Dywedodd Papà wrtho eu bod nhw'n saff fan hyn, ac y gallen nhw helpu yn y caffi. Chwarddodd a dweud, 'Falle, un diwrnod, fe agori di dy gaffi dy hun!'

Roedd angen eu stafell eu hunain ar Mario a Zia, felly fe roddais i fy un i iddyn nhw a symud lan i'r atig, sef fy stafell i nawr, yn rhyfedd ddigon. Fe weithion nhw i gyd yn galed, ac roedd busnes hyd yn oed yn well, ond doedden nhw ddim yn sylweddoli bryd hynny beth oedd ar fin digwydd. Fel y digwyddodd pethe fe ddylen nhw fod wedi aros yn yr Eidal ... a dw i'n golygu pob un ohonon ni, gan gynnwys Papà, Mamma a fi ..."

Cafwyd tawelwch, yna gallai Joe glywed Nonno'n gwneud synau. Sylweddolodd mai dyna'r foment y cafodd y strôc. Stopiodd Joe y tâp. Safodd ar ei draed, gan deimlo ar bigau'r drain, ac yn sydyn teimlodd ar lwgu. Aeth i lawr y grisiau.

NAW

Estynnodd Joe am sosban ac arllwys olew iddi. Cyneuodd yr hob wrth i Mam ddod i mewn o'r caffi. "Be ti'n neud?" gofynnodd.

"Coginio, Mam."

"Does dim angen i ti, Joe. Galla i—"

"Dw i eisie, Mam. Dw i eisie."

Doedd gan Joe ddim syniad beth roedd e'n ei wneud gan nad oedd erioed wedi coginio pryd ar ei ben ei hun. Penderfynodd dorri ambell winwnsyn, ond dechreuodd ei lygaid ddyfrio'n syth.

"O, wyt ti'n iawn, cariad?"

"Dw i ddim yn llefen," mynnodd Joe. "Blincin

winwns!"

Gollyngodd y winwns wedi'u malu i'r badell ac fe ddechreuon nhw hisian yn uchel.

"Dw i'n meddwl bod gwres y nwy yn rhy uchel," meddai Mam.

Trodd Joe y gwres i lawr ac ychwanegu cig mins.

Daeth Dad i mewn. "Coginio, wyt ti, Joe?"

"Ydw." Cyn i Dad fedru dweud gair arall, ychwanegodd Joe, "Achos 'mod i eisie."

Aeth Dad a Mam i fyny'r grisiau, tra cafodd Joe drafferth penderfynu beth yn union roedd e'n ei goginio. Canodd y ffôn.

Aeth Joe yn dynn i gyd wrth godi'r derbynnydd, gan boeni eu bod nhw ar fin derbyn mwy o newyddion drwg. "Helô?"

"*Helô ... Joe sydd 'na?*"

"Ie."

"*Joe Gelato! Mimi sy'n siarad.*"

Roedd Joe yn flin ac yn difaru iddo anfon yr ebost ati. "O, helô."

"Fe ges i dy neges di," meddai Mimi mewn Saesneg bratiog. "Druan o Nonno. Mae'n ofnadwy."

Ymddangosodd Mam. "Pwy sy 'na?"

"Mimi o'r Eidal."

Crychodd Mam ei thalcen.

"Dw i eisie dod i'w weld e," meddai Mimi. "Falle

galla i helpu. Iawn?"

"O, reit ... iawn," meddai Joe.

"Beth yw dy gyfeiriad di, plis?"

"Caffi Merelli. Rhif deg, y Stryd Fawr, Bryn Mawr, De Cymru."

"Eto, plis. Yn arafach."

Ailadroddodd Joe y cyfeiriad.

"O'r gorau. Galla i ddod yn syth – fory."

Edrychodd Joe ar Mam. "Reit. Ocê."

"Hwyl fawr," meddai Mimi.

"Hwyl," meddai Joe.

"Am beth roedd hynna i gyd?" gofynnodd Mam.

"Mimi oedd honna."

"Ie, fe ddeallais i hynny," meddai Mam.

Trodd Joe y llwy bren yn ei law. "Ro'n i'n meddwl y dylai hi gael gwbod am yr hyn ddigwyddodd i Nonno. Felly fe es i ar y gliniadur—"

"Wnest ti esbonio nad oedd e wedi marw?"

"Mam! Wrth gwrs y gwnes i. Be ti'n feddwl ddwedais i?"

"Wel, pam oedd angen y cyfeiriad arni? I anfon blodau, ie?"

Syllodd Joe ar y bwrdd a cheisiodd ddychmygu'r pryd o fwyd hyfryd a goginiodd, yn barod i'w fwyta. "Ma hi'n dod."

"Yn dod!" Agorodd llygaid Mam led y pen. "Beth,

fan hyn?"

Cyn i Joe fedru dweud unrhyw beth arall clywodd oglau llosgi.

Roedd swper wedi'i ddifetha.

DEG

"Dy gyfnither di?" meddai Combi wrth iddyn nhw gerdded ar hyd y Stryd Fawr.

"Ie, o'r Eidal," meddai Joe. "Ma hi'n mynd ar fy nerfau i."

"Ma cefndryd a chyfnitherod i gyd yn mynd ar nerfau ei gilydd," meddai Combi. "Ffaith."

"Ma Mam yn dweud bod yn rhaid i fi roi fy stafell wely iddi a mynd lan i stafell Nonno."

"Y gyfnither 'ma," meddai Combi. "Yw hi'n hŷn neu'n iau na ti?"

"Hŷn. Pam?"

"Anffodus. Ti'n gweld, yn gyfreithiol ma 'da hi'r

hawl i ddweud wrthot ti beth i'w wneud."

"Yn gyfreithiol! Ti'n siarad dwli weithie, Combi."

Cododd Combi ei ysgwyddau. "Dw i bant i'r Cwt Ffowls."

"Paid â rhoi halen ar y briw!" meddai Joe, wrth iddo deimlo slap ar ei ysgwydd. Edrychodd i fyny a gweld Bonner yn sefyll uwch ei ben.

"Newyddion drwg am dy dad-cu, Davis."

Roedd Bonner flwyddyn yn hŷn na Joe ac roedd ganddo gorff fel byfflo. Roedd ganddo ffrwydrad o wallt du cyrliog ac fe wenai fel gât bob amser. Doedd Joe byth yn siŵr a oedd e'n hapus neu'n ymylu ar orffwylltra. "Wedi cael strôc, glywes i," ychwanegodd Bonner.

"Do," meddai Joe.

"Gair doniol, hwnna – strôc." Syllodd Bonner i'r pellter. "Fe ddylen nhw ei alw'n rhywbeth arall, os ti'n gofyn i fi ... fel toddiant yr ymennydd. Bydde hynny'n well."

"Na," meddai Joe. "Fydde fe ddim."

Diflannodd gwên Bonner. "Gan fod 'da ti drafferthion, fe adawa i honna i fynd." Cerddodd i ffwrdd, a'i griw y tu ôl iddo'n sgipio wrth geisio cadw fyny ag e.

"Cachwr!" meddai Combi. "Joe, dere i gael tamed o gyw iâr gyda fi."

Gallai Joe deimlo poer yn llenwi'i geg wrth feddwl

am y peth. "Alla i ddim, Combi. Alla i ddim."

Yn yr ysbyty gwrandawodd Nonno wrth i Mam esbonio ynglŷn ag ymweliad Mimi. Gallai Joe weld bod ei wyneb wedi'i hanner barlysu o hyd ar ôl y strôc. Siaradai'n araf a thawel. "Dyna braf ei bod hi'n dod, Lucia."

"Dyw hi ddim yn gyfleus," meddai Mam. "Hynny yw, be fydd hi'n neud 'ma?"

"Ma hi'n gogydd da, Lucia," meddai Nonno. Edrychodd ar Joe. "Daeth ei hen fam-gu hi i'r caffi amser maith yn ôl, adeg y rhyfel."

"Dw i'n gwbod – fe glywais i am hynny ar y tâp wnest ti, Nonno," meddai Joe. "Yr un oedd wedi'i adael yn y recordydd. Ma fe'n dda iawn."

"Pa dâp?" gofynnodd Mam.

"Hanes y caffi," meddai Joe.

Disgynnodd llaw Nonno ar un Joe. "Ma hi'n stori hir. Fe adrodda i'r gweddill wrthot ti ... pan dw i'n teimlo'n well, o'r gorau?"

"O'r gorau. Cymer ofal, Nonno."

Pan gyrhaeddon nhw yn ôl i'r caffi, penderfynodd Joe aros allan a chymryd *passeggiata* ar ei ben ei hun. Crwydrodd draw i ochr arall y Stryd Fawr. Syllodd ar y caffi yn y tywyllwch a chafodd ei lethu gan dristwch y syniad ohono'n cau ac yn cael ei werthu. Edrychodd ar yr arwydd a oedd bellach wedi pylu – *Caffi Merelli* – *sefydlwyd 1929.*

Sylweddolodd nad oedd y caffi yn bell o fod yn gant oed. Dychmygodd y lle wedi'i oleuo i gyd ac yn llawn cwsmeriaid a synau hwyliog ar noson oer o aeaf. Torrwyd ar draws ei synfyfyrio gan neges destun oddi wrth Mam.

Dere 'nôl, Joe. Ma hi 'ma!

UN DEG UN

Roedd ffenest drws y cefn wedi stemio i gyd.

Wrth i Joe gerdded i mewn i'r gegin gallai glywed arogl perlysiau a sbeisys hyfryd. Roedd rhywun yn sefyll wrth y ffwrn, yn troi cynhwysion mewn padell ffrio. *Nid Mimi yw honna, does bosib*, meddyliodd.

"Helô," meddai Joe.

Trodd y ferch i'w wynebu, a thynnodd Joe ei anadl yn sydyn.

Merch ifanc â gwallt hir du a ffrinj syth yn fframio'i hwyneb oedd hi. Roedd ei llygaid yn fawr ac fel dwy olif ddu, dywyll, ond eto, roedd tinc o dristwch ynddyn nhw. Roedd ei gwefusau'n llawn ac yn goch fel mefus.

Roedd calon Joe yn curo ar ras – roedd hi'n fwy prydferth nag unrhyw un a welodd erioed o'r blaen, ac yn sicr doedd hi'n ddim byd tebyg i'r ferch bryfoclyd y cyfarfu â hi pan oedd e'n wyth oed.

Gwenodd Mimi a diflannodd y tristwch o'i llygaid. Gallai Joe glywed cerddoriaeth brydferth a llais fel angel yn canu.

"*Ciao*, Joe," meddai hi mewn acen Eidalaidd gref, a rhoddodd gusan iddo ar ei ddwy foch.

"Diolch," atebodd Joe wrth sylweddoli bod y gerddoriaeth yn dod o'r chwaraewr CD.

"Dw i'n coginio pasta neis," meddai Mimi. "Dw i'n dwlu ar goginio."

"O, o'r gorau ... Ble ma fy rhieni i?" gofynnodd Joe, gan feddwl tybed oedden nhw wedi'i adael ar ei ben ei hun yn y tŷ. Pwyntiodd Mimi i fyny'r grisiau.

"Fe af i lan ... i'w gweld nhw," meddai Joe yn araf.

"Dw i'n deall Saesneg," meddai Mimi. "Ac ychydig o Gymraeg hefyd!"

"Iawn, sorri."

"Hei, Joe," meddai hi, "wyt ti dal yn hoffi *gelato*?"

"Dim cymaint â hynny," atebodd Joe yn gelwyddog.

Chwarddodd Mimi, ac aeth Joe i fyny'r grisiau lle gwelodd Mam a Dad yng nghanol trafodaeth ddwys.

"Ti wedi cwrdd â'n gwestai ni, dw i'n cymryd?" meddai Mam.

Pwyntiodd Joe i lawr y grisiau. "Ma hi ... ma hi'n fenyw!"

"Deg allan o ddeg, Joe."

"Pert, yn dyw hi?" meddai Dad.

"Sylwes i ddim," atebodd Joe. Gallai deimlo'i galon yn curo o hyd, ond darbwyllodd ei hun ei fod wedi rhuthro i fyny'r grisiau ar ormod o frys.

"Ma hi wedi mynd dan fy nghroen i byth ers iddi gyrraedd," meddai Mam. "Cymryd drosodd – '*Dw i eisie helpu*' ... '*Dw i'n dwlu ar goginio*'. A dy'n ni prin yn ei hadnabod hi, mewn gwirionedd."

"Wel, ma hi'n sicr yn Eidales," meddai Joe. Ochneidiodd Mam. "O, wel, 'na ni, 'te. Popeth yn iawn, felly."

Roedd Mimi wedi ymgolli'n llwyr yn y coginio wrth i Joe osod y bwrdd. Codai arogl anhygoel y bwyd awch bwyd arno.

Daeth Mimi â sosban fawr at y bwrdd, ac fe eisteddon nhw i lawr i swper.

Synhwyrodd Joe fod tensiwn yn yr awyr.

"Diolch i ti am goginio i ni," meddai Dad.

"O, plis, dw i *eisie* coginio," mynnodd Mimi.

Gwyliodd Joe hi'n gweini'r pasta. Yna, dyma hi'n gratio caws parmesan ar bob plât, fel y gwelodd Joe weinyddion yn ei wneud mewn bwytai.

"*Pasta bolognese*," meddai, fel pe bai rhywun wedi gofyn iddi. "*Buon Appetito.*"

Pan flasodd Joe gegaid cafodd syndod pa mor flasus oedd y bwyd – blas dwfn, gwell nag unrhyw basta a flasodd cyn hynny. Yn sydyn roedd bwyd yn wahanol – teimlai fel pe bai ei bwyntiau blasu'n chwyrlïo'n fywiog ac yn deffro ei synhwyrau i gyd.

"O, ma hwnna'n hyfryd," meddai Dad.

"Ti'n ei hoffi fe, Joe?" gofynnodd Mimi.

"Ydw. Ma fe ... Ma fe fel bwyd mewn bwyty."

Chwarddodd hithau. "Wyt ti'n mynd i fwytai yn aml?"

"Ydw," atebodd Joe, ar yr union bryd y dywedodd Mam, "Na."

"Joe, dwyt ti ddim yn drysu 'bwytai' â'r Cwt Ffowls, wyt ti?" gofynnodd Mam.

"Na'dw" atebodd Joe.

"Beth yw'r Cwt Ffowls?" gofynnodd Mimi.

"Lle têcawê yw e, bwyd cyflym – cyw iâr a sglodion o'r safon gwaetha," esboniodd Joe.

"Ie. Weli di focsys hanner gwag ar hyd y palmant ym mhob man," meddai Mam. "Ma hyd yn oed y gwylanod yn troi'u trwynau arno fe. Ond ma Joe yn dwlu arno fe."

"Dw i DDIM!" meddai Joe.

Roedd golwg ddryslyd ar Mam.

"Ti a Combi'n bwyta bocys a bocsys ohono fe."

"Pwy yw Combi?" gofynnodd Mimi.

"Ffrind i fi," meddai Joe. "Ma 'i ddeiet e'n wael iawn." Aeth yn ei flaen i fwyta'r pasta. Roedd hwnnw'n gwella â phob cegaid.

"Roedd Nonno'n dweud wrthon ni fod dy hen fam-gu di wedi dod yma yn ystod y rhyfel," meddai Joe, mewn ymgais i barhau â'r sgwrs.

"Do," meddai Mimi. "Buodd hi farw sbel hir cyn i fi gael fy ngeni. Ond dw i'n cofio fy mam-gu yn dweud iddi ddod yma."

"Maddeua i fi am ofyn, ond pam wyt ti wedi dod i weld fy nhad i ar ôl cymaint o amser?"

Fedrai Joe ddim coelio pa mor ddigywilydd roedd Mam yn bod. Edrychodd Mimi yn reit syn. "Roeddwn i'n poeni am Nonno. Dw i eisie helpu – dw i'n gallu coginio ..."

"Wel, os wyt i'n parhau i wneud bwyd fel hyn fe gei di aros am byth," meddai Dad gan chwerthin wrtho'i hun. Yna edrychodd ar Mam ac fe stopiodd chwerthin yn syth. Wrth iddyn nhw barhau i fwyta, taflodd Joe edrychiad cynnil ar Mimi bob hyn a hyn, gan nad oedd e eisiau syllu arni. Bwytai hi yn llawn angerdd, fel pe na bai unrhyw beth arall yn bwysig. Roedd Joe'n meddwl ei bod hi mor brydferth – yn brydferth fel rhai o'r enwogion a welodd mewn cylchgronau neu ffilmiau.

48

Ar ôl swper aeth Joe â Mimi i'r caffi a chynnau'r golau. Safodd Mam wrth y drws. "Dyma Gaffi Merelli," meddai Joe yn falch.

Syllodd Mimi o gwmpas y caffi gan grychu'i thalcen, fel pe bai'n gweld rhywbeth na welodd erioed o'r blaen. Rhedodd ei bys ar hyd y cwpwrdd gwydr ac archwilio'r llwch. "Ma fe'n frwnt. Ry'ch chi angen help gyda'r glanhau hefyd, ydych chi?"

Sylwodd Joe ar fochau Mam yn gwrido. "Fe rodda i'r sac i'r fenyw lanhau."

"Does 'da ni ddim menyw lanhau," meddai Joe.

Syllodd Mam arno. "O, nagoes, ti'n iawn."

Roedd Mimi bellach yn procio darn o dâp a guddiai un o'r tyllau niferus yn un o'r seddi bwth. Trodd o gwmpas a sylwodd Joe ei bod hi'n ysgwyd ei phen.

"Ry'n ni'n cael busnes da amser brecwast bob bore," meddai. "Nonno sy'n ei goginio fe fel arfer.

"Galla i ei goginio fe," meddai Mimi.

Edrychodd Joe ar Mam. "Selsig, wy, bacwn, ffa pob a thomato wedi'i ffrio," meddai hi.

"I frecwast?" meddai Mimi.

"Ie," atebodd Joe.

Twt-twtiodd Mimi.

Diffoddodd Mam y golau. "Iawn. Sioe drosodd."

Aeth Joe â'r pentwr olaf o'i ddillad i fyny i ystafell

Nonno a'u rhoi gadw. Edrychodd ar y casgliad o CDs opera a phenderfynodd chwarae un ohonyn nhw. *Madam Butterfly* oedd ei enw. Roedd y gerddoriaeth yn hyfryd.

Daeth cnoc ar y drws.

"Ie?"

Trawodd Dad ei ben rownd y drws. "Wedi trefnu dy bethe, Joe?"

"Do. Dim probs."

"Ar be ti'n gwrando?"

"Madam Butterfly."

"Do'n i ddim yn gwbod dy fod di'n hoffi opera, Joe."

"Ma pob Eidalwr yn hoffi opera, Dad."

"O, dw i'n gweld. Nos da."

Roedd golwg wedi drysu ar wyneb Dad wrth iddo gau'r drws.

Dechreuodd Joe ddarllen stori'r opera wrth i'r gerddoriaeth olchi'n don drosto.

UN DEG DAU

Doedd Joe ddim yn hoffi'r ffordd roedd botymau ei grys yn tynnu, fel pe baen nhw ar fin byrstio unrhyw funud. Safodd o flaen y drych a throi i'r ochr. Roedd ei fol yn hongian dros ei drywsus.

"Tyfu'n rhy glou," meddai wrtho'i hun.

Wrth iddo fynd i lawr y grisiau clywodd sŵn dadlau yn dod o'r gegin. Daeth o hyd i Mimi'n wynebu Mam, a edrychai wedi'i chynhyrfu.

"Rydych chi'n coginio'r bacwn eto yn y meicrodon?" meddai Mimi. "Ar ôl i chi ei ffrio fe?"

"Ydw," meddai Mam.

"Pam?"

"Arbed arian. Dim gwastraff."

Tynnodd Mimi wyneb. "Ych a fi."

"Wel, dyw'r cwsmeriaid ddim fel pe baen nhw'n meindio!"

"Gormod o ffrio," meddai Mimi. "Ac ma'n well gen i goginio wyau mewn menyn, dim olew, neu eu potsio nhw."

"Potsio?" meddai Mam.

"Mae e'n debyg i ferwi," esboniodd Mimi.

"Dw i'n gwbod beth yw potsio!" brathodd Mam wrth droi a mynd yn ôl i'r caffi.

Edrychodd Mimi ar Joe. "Dim ond trio helpu roeddwn i."

"Dw i'n gwbod," meddai Joe. "Ma hi o dan straen."

Wrth gario'r archebion i'w cwsmeriaid rheolaidd sylwodd Joe yn syth ar y gwahaniaeth yn y bwyd – roedd y brecwast yn lân ac yn iach, a doedd dim sôn am olew na saim.

"Beth yw hwn?" gofynnodd Mr Kempski, un o grŵp o weithwyr o Wlad Pwyl.

"Ein brecwast newydd ni," meddai Joe. "Wedi'i goginio gan chwip o ..." Edrychodd ar Mam. "Ma'r cyfan yn ffres. Unrhyw de neu goffi ychwanegol, dim ond gofyn sydd angen. Dim cost ychwanegol."

Safai Mimi wrth y drws yn edrych ar y cwsmeriaid yn bwyta. Gallai Joe weld y syndod ar eu hwynebau wrth iddyn nhw gladdu'r bwyd.

Bwytodd Joe ei frecwast yn y caffi yn ôl yr arfer. Roedd wyau wedi sgramblo Mimi dipyn yn fwy blasus, ac roedden nhw'n edrych yn fwy melyn, hyd yn oed.

Daeth Tudur i mewn. "Fe glywes i'r newyddion am Mr Merelli," meddai. "Ro'n i mor flin o glywed. Gwellhad buan iddo fe."

Daeth Mimi allan o'r gegin ac agorodd llygaid Tudur fel soseri. Cyflwynodd Joe hi iddo.

"O, nawr 'te," meddai Tudur yn frwd. "Ti'n bert. Croeso i Gymru."

"Diolch," meddai Mimi.

Aeth y gweithwyr o Wlad Pwyl at y cownter i dalu. "Yr un pris, llai o fwyd," meddai Mr Kempski wrth Mam.

"Ry'n ni'n trio cogydd newydd," meddai hi.

"Wel, dw i'n dal yn llwglyd," cwynodd wrth adael.

Daeth Mimi draw at Joe. "Wyt ti'n ei hoffi fe?"

Gallai Joe weld bod Mam yn gwrando. "Roedd e'n flasus iawn," meddai gan wenu, ac ar hynny cerddodd Combi i mewn i'r caffi gan gydio mewn can o Coke a rôl selsig wedi hanner ei bwyta.

"Ti'n dod, Joe?"

"Helô," meddai Mimi.

Agorodd Combi ei geg led y pen, gan arddangos

gweddillion y rôl selsig wedi'i stwnsho i gyd. Safodd Joe ar ei draed a sefyll rhyngddo ef a Mimi. "Wela i di wedyn, Combi. Dw i'n brysur."

Syllodd Combi y tu ôl i Joe. "Helô. Mae'n rhaid mai cyfnither Joe wyt ti," meddai.

"Ie."

"Ffrind Joe ydw i." Daliodd ei gan diod allan i Mimi. "Hoffet ti ychydig o Coke?"

"Dyw hwnna ddim yn ddiod addas ar gyfer amser brecwast," meddai Joe wrth ei dywys tuag at y drws.

"Doniol, yn dyw e?" clywodd Tudur yn dweud. "Pe baech chi'n stwnsho'r holl fwyd gyda'i gilydd ar blat, fyddech chi ddim yn ei ffansïo fe, fyddech chi? Ond unwaith mae e yn eich stumog chi ..."

Roedd Joe ar fin ymddiheuro wrth Mimi pan welodd ei bod hi'n chwerthin.

"Wela i di wedyn," galwodd, wrth lusgo Combi y tu allan.

"Ma hi'n bishyn, yn dyw hi?" meddai Combi. Doedd Joe ddim yn hoffi'r ffordd roedd Combi'n syllu ar Mimi.

"Sylwais i ddim," atebodd.

"Sylwaist ti ddim!" meddai Combi'n llawn syndod. "Oes cariad 'da hi?"

"Dim syniad," meddai Joe, gan geisio brysio'i ffrind.

UN DEG TRI

Ar ôl ysgol aeth Joe i weld Nonno yn yr ysbyty a daeth o hyd i Mam a Mimi ar bwys ei wely. Roedd Joe'n meddwl bod Nonno'n edrych yn dipyn gwell.

"Dw i ddim yn gweld y pwynt," meddai Mam.

"Be sy'n mynd 'mlaen?" gofynnodd Joe.

"Dw i eisie gwneud bwyd ar gyfer y caffi," meddai Mimi.

"Ry'n ni'n neud bwyd yn barod."

"Na," meddai hi. "Bwyd Eidalaidd go iawn."

"Diolch yn fawr!" meddai Mam.

"Ma fe'n syniad da," cytunodd Joe.

"Does dim pwynt," atebodd Mam. "Fydd gan neb

ddiddordeb. Ma'r Stryd Fawr yn marw ar ei thraed."

Cododd Nonno'i law. "Lucia," meddai'n ysgafn, "gad iddi drio, plis. Dim ond am ychydig bach."

Eisteddodd y tri mewn distawrwydd anesmwyth, hyd nes y dywedodd Mam, "Joe, wnei di fynd 'nôl i'r caffi 'da Mimi? Dw i eisie siarad gyda Nonno, ac ma dy dad yng ngofal y lle ar ei ben ei hun."

Gwyddai Joe fod Mam o ddifri felly wnaeth e ddim dadlau, er ei fod yn ysu am gael siarad â Nonno ei hun.

Roedd hi'n bwrw glaw erbyn iddyn nhw gyrraedd adref, a dim ond Gwen oedd ar ôl yn y caffi. Roedd hi'n aros am y bws gartref. Ceisiodd Joe edrych yn awdurdodol y tu ôl i'r cownter wrth i Mimi grwydro o gwmpas y caffi. Gwenodd Joe ar Gwen. "Fe rodda i floedd i chi os daw'r bws."

"Diolch, Joe," meddai hi. "Dw i wedi clywed bod 'na sgriniau arbennig ym mhob arhosfan yng Nghaerdydd sy'n dweud wrthoch chi pryd fydd y bws nesa'n cyrraedd. Bydda i wedi gadael yr hen fyd 'ma erbyn i'r fath beth gyrraedd Bryn Mawr."

Roedd Mimi wrthi'n ffidlan â'r hen beiriant coffi espresso y tu ôl i'r cownter.

"Dyw e ddim yn gweithio," meddai Joe.

"Ers pryd mae e wedi torri?"

"Blynyddoedd."

"Beth os yw cwsmer eisie coffi?"

"Ry'n ni'n rhoi coffi o'r jar iddyn nhw," meddai Joe, a sylwodd ar yr olwg wedi ffieiddio ar wyneb Mimi.

Crwydrodd Mimi draw at yr hen ffotograffau o'r caffi ar y wal.

"Ti'n bert iawn," meddai Gwen wrthi.

"Diolch," atebodd hithau dan wenu.

Aeth Joe i sefyll yn ei hymyl. "Dyna Nonno yn un naw pump tri," meddai gan bwyntio at y llun.

Nodiodd Mimi.

"Dacw fe'r bws," meddai Gwen. "O, stopia fe i fi, Joe, plis."

"Wrth gwrs!"

Rhedodd Joe y tu allan a chwifio'n ddramatig ar y bws. Gobeithiai fod Mimi'n ei wylio. Tynnodd y bws i mewn i'r arhosfan ac edrychodd Joe yn ôl a gweld Mimi'n dod allan o'r caffi gan ddal ymbarél dros Gwen. "Ma hi ar ei ffordd," meddai wrth y gyrrwr.

"Ydw i'n edrych fel tacsi mawr?" atebodd y gyrrwr.

"Beth gadwodd chi?" gofynnodd Gwen wrth ddringo i'r bws.

"Ro'n i'n cael nap fach rownd y cornel."

"Synen i daten!"

Dechreuodd y ddau ddadlau â'i gilydd, hyd nes y gofynnodd Joe i'r gyrrwr, "Hoffech chi baned o de neu goffi?"

"Beth?"

"Af i i nôl paned i chi, o'r caffi."

"Ti'n tynnu 'nghoes i?"

Cafodd Joe ei synnu ganddo fe'i hun – roedd fel pe bai rhywun arall wedi siarad drosto. "Na'dw – os anfonwch chi neges destun at y caffi yn dweud pan fyddwch chi ar fin cyrraedd fe rown ni baned am ddim i chi. Yna gall pobl aros y tu fewn, chi'n gweld?"

Gwyliai'r teithwyr wrth i'r glaw bledu yn erbyn to'r bws. "Wyt ti o ddifri?" gofynnodd y gyrrwr.

"Syniad gwych!" meddai Gwen. "Gallwn ni aros yn y caffi, allan o'r glaw a'r oerfel, a fyddwn ni ddim yn cwyno wrthoch chi, fyddwn ni?"

Edrychodd y gyrrwr ar Gwen ac yna ar Joe. "Paned am ddim?"

"A gallwch chi ddweud yr un peth wrth y gyrwyr eraill," meddai Joe.

Hisiodd drysau'r bws ar gau. "Dêl!"

UN DEG PEDWAR

Dewisodd Joe un o CDs Nonno – *La Bohème* gan Puccini. Roedd yr opera'n hyfryd, yn enwedig gan mai Mimi oedd enw un o'r prif gymeriadau a bod y tenor, Rodolfo, yn syrthio mewn cariad â hi. Erbyn iddo gyrraedd diwedd yr ail act gallai Joe glywed arogl coginio'n treiddio o'r gegin i lawr y grisiau.

Roedd Mimi'n brysur yn y gegin pan gerddodd i mewn.

"Ti'n gwrando ar *La Bohème*?" gofynnodd hi.

"Ydw," atebodd Joe.

Taflodd hithau ei phen yn ôl a chanu'r darn yr oedd Joe newydd wrando arno. Gwnaeth iddo chwerthin, ac roedd ganddi lais hyfryd.

"Wyt ti'n hoffi coginio, Joe?"

Sylweddolodd Joe ei fod yn rhywbeth yr hoffai wneud, hyd yn oed os nad oedd yn gwybod sut i wneud. "Ydw," meddai wrth wylio Mimi wrth y ffwrn. Roedd hi wrthi'n torri'r cynhwysion yn ofalus – proses swnllyd a chyffrous. Roedd fel pe bai rheolaeth lwyr ganddi.

"Ti fel Bryn Williams," meddai Joe.

Cododd Mimi un o'i haeliau. "Bryn Williams? Pwy? Ydw i'n edrych fel Bryn Williams?"

"Na!" meddai Joe. "Dim o gwbl. Dim ond y ffordd ..." Pwyntiodd at y cynhwysion wedi'u malu. Chwarddodd hithau.

"Wyt ti'n gallu coginio pitsa?" gofynnodd Joe.

Tynnodd Mimi wyneb. "Ydw, mae e'n hawdd, ond dydy pitsa ddim yn bryd o fwyd go iawn."

"Pam lai?"

"Fe ddyfeisiodd pobl Napoli'r pitsa flynyddoedd maith yn ôl – fel byrbryd."

"Ma fe'n dal yn hyfryd," meddai Joe gan lyfu'i wefusau.

"Ydy'r caffi'n agor gyda'r nos?" gofynnodd Mimi.

"Na."

"Pam?"

Ceisiodd Joe dynnu corneli'i geg i lawr i ddangos nad oedd ganddo syniad, ond yn lle hynny llwyddodd i godi'i aeliau. Edrychodd Mimi arno'n ddryslyd, felly dywedodd Joe, "Dw i ddim yn gwbod."

* * *

Roedd Mam a Dad yn dawel amser swper. Risotto a chorbwmpen gyda chaws Dolcelatte oedd i'w fwyta.

"Bendigedig," meddai Joe mewn ymgais i ysgafnu'r awyrgylch.

"Blasus iawn," meddai Dad. "Fe glywes i am dy syniad di ar gyfer y gyrwyr bws, Joe. Hynod ddyfeisgar."

"*Bravo*," meddai Mimi. "Mae e'n wych, yn tydy, Lucia?"

"Arhosfan bws â chadeiriau, dyna fyddwn ni," meddai Mam.

Cafwyd tawelwch eto hyd nes y dywedodd Mimi, "Hoffwn i drwsio'r peiriant espresso."

"Pam?" gofynnodd Mam.

"Fel bod modd i ni gynnig coffi ffres," atebodd Mimi. "Nid coffi o jar."

"Afiach, am wn i?" meddai Mam.

Tynnodd Mimi wyneb. "Ydy."

"Joe," meddai Mam. "Wyt ti wedi clywed unrhyw un yn cwyno am ein coffi ni?"

Edrychodd Joe ar Mimi a oedd yn aros am ei ateb. "Na."

"Hoffwn i ei drwsio fe, beth bynnag," mynnodd Mimi.

"Fe geisiaist ti roi brecwast gwahanol i'n cwsmeriaid ni ond doedd gyda nhw fawr o ddiddordeb," meddai Mam. "Bydd yr un peth yn digwydd os cynigi di goffi go iawn iddyn nhw, ond os wyt ti am ei drwsio fe, cer amdani."

Ar ôl swper rhoddodd Joe help llaw i Mimi wrth fynd i'r afael â'r peiriant coffi. Clymodd Mimi ei gwallt i fyny, ac, ym marn Joe, edrychai hyd yn oed yn fwy prydferth. Defnyddiodd Mimi rhai o dŵls Dad, gan ymrafael i godi'r casyn allanol. Pan ddaeth i ffwrdd yn y diwedd, dywedodd, "*Mamma mia! È meso malissimo!*"

"Beth yw ystyr *malissimo?*" gofynnodd Joe.

"*Male* yw gwael. *Malissimo* yw gwael iawn. Yn Eidaleg ti'n rhoi *issimo* ar ddiwedd gair i'w wneud yn gryfach. Fel ... *bello – bellissimo*, sy'n golygu pert, pert iawn, neu *brutto – bruttisimo*, sef hyll, hyll iawn."

"Dw i'n gweld."

Gallai Joe weld bod nifer o ddarnau mewnol y peiriant coffi wedi rhydu. Rhyfeddodd at ba mor ddwys roedd Mimi'n canolbwyntio ar y gwaith, yn union fel pan oedd hi'n coginio. Syllodd Mimi ar y peiriant a mwmian mewn Eidaleg.

"Alli di ei drwsio fe?" gofynnodd Joe.

Trodd Mimi ato. "Gallaf. Galla i ei drwsio fe."

Syllodd Joe i'w llygaid tywyll, prydferth. Teimlodd ei galon yn dyrnu yn ei frest, fel pe bai'n dweud wrtho ei fod mewn cariad – mewn cariad go iawn.

UN DEG PUMP

Cododd Joe yn gynnar fore trannoeth. Darllenodd y cyfarwyddiadau ar gefn y tiwb o jel gwallt cyn edrych arno'i hun yn y drych. Gorchuddiodd ei wallt â'r jel a dechrau ei gribo trwodd. Gwnâi iddo edrych yn hŷn, ac roedd hynny'n ei wneud yn falch.

Ceisiodd frwsio'i wallt am yn ôl, gan anwybyddu'r rhaniad a arferai fod i'r ochr.

Syllodd arno'i hun. "Dw i'n edrych fel fampir," meddai. Rhoddodd ei law trwy'i wallt mewn ymgais i wneud iddo edrych yn llai ffurfiol, ond safai i fyny'n bigau ar ei ben. "Band pop nawr." Chwyrnodd ei rwystredigaeth cyn cribio'i wallt i'r rhaniad arferol a mynd i lawr y grisiau.

"Beth wyt ti wedi neud i dy wallt?" gofynnodd Mam, gan beri i Joe gochi i gyd.

"Roedd e i gyd yn ... felly fe roddes i jel ynddo fe."

"Do'n i ddim yn gwbod bod jel gyda ti."

Roedd ar fin tynnu corneli'i geg am lawr, ond penderfynodd godi'i ysgwyddau yn lle hynny. Canodd cloch y caffi wrth i'r drws agor. Safodd dynes yn y fynedfa. "Yw'r hyn dw i wedi'i glywed yn wir? Y byddwch chi'n dweud wrthon ni pan fydd y bws ar ei ffordd?"

"Dyna chi," meddai Joe. "Dewch i mewn i'r gwres ac fe ddywedwn ni wrthoch chi. Paned o de neu goffi?"

"Pam lai? Te, plis."

Teimlai Joe yn falch, a gwenodd ar Mam wrth iddo gychwyn paratoi'r ddiod.

"Da iawn, Joe," meddai hi.

Atseiniodd y gloch eto a llenwodd siâp Bonner y drws. Safai ei griw mewn clwstwr y tu ôl iddo fel pe baen nhw'n sownd wrtho ar dennyn. "Ble ma hi, 'te?"

"Ma hi mas."

"Nagyw ddim," meddai Mam. "Mimi!" galwodd drwodd i'r gegin. "Rhywun i dy weld di."

Pan ddaeth Mimi i'r caffi gwelodd Joe geg Bonner yn disgyn led y pen ar agor. "O, ble wyt ti wedi bod gydol fy mywyd i, cariad?" meddai wrth gynnig ei law anferthol iddi. "Bonner ydw i – mewnwr tîm rygbi Ysgol Bryn Mawr a thipyn o dderyn."

Chwarddodd Mimi. Teimlai Joe'n anesmwyth wrth i'r bechgyn eraill bwnio'u gilydd, eu llygaid fel soseri. Cerddodd Combi i mewn yn bwyta toesen. "Ddwedes i ei bod hi'n bishyn," meddai wrth y bechgyn.

"Wyt ti yn yr ysgol gyda Joe?" gofynnodd Mimi i Bonner.

Edrychodd Bonner i lawr fel pe bai'n gweld Joe am y tro cyntaf. "O, ydw," meddai. "Gallen ni ddefnyddio Joe yn y rhes flaen yn y clwb rygbi – ma wastad angen bechgyn sy'n cario tipyn o bwysau arnon ni." Gwingodd Joe wrth i Bonner daro'i law ar ei ysgwydd.

"Rygbi," meddai Mam. "Nawr dyna syniad da er mwyn i ti golli tamed o bwysau, Joe."

"Fe edrycha i ar ei ôl e, Mrs Davis," meddai Bonner cyn ei daro eto ar ei ysgwydd. Doedd Joe ddim yn hapus o gwbl, yn enwedig pan bwyntiodd Combi a dweud o flaen pawb, "Beth wyt ti wedi neud i dy wallt, Joe?"

UN DEG CHWECH

Roedd Nonno ar ei ben ei hun pan aeth Joe i'w weld ar ôl ysgol.

"Sut ma dy fam?" gofynnodd Nonno'n dawel. "Ti'n gwbod, gyda Mimi dw i'n feddwl."

"Ma Mimi'n mynd ar ei nerfau hi, a bod yn onest, Nonno."

"Wyt ti'n hoffi Mimi?" gofynnodd Nonno.

Cododd Joe ei ysgwyddau'n swta a syllodd i lawr ar ei gôl. Doedd e ddim am ddatgelu sut roedd e'n teimlo am Mimi. "Ma hi eisie trwsio'r peiriant espresso er mwyn i ni allu gwneud coffi ffres. Fe ddywedodd hi fod cynnig coffi o jar yn bechod."

"Ma hi'n iawn," meddai Nonno. "Rhag ein cywilydd ni. Dyw'r hen beiriant San Marco heb weithio ers blynyddoedd. Daeth Mimi i 'ngweld i heddi ac fe ddaeth hi â bwyd i fi. O, roedd e'n fendigedig, Joe. Llawer gwell na chinio'r ysbyty. Ac fe soniodd hi wrtha i am dy syniad di – pobl yn aros yn y caffi am y bws." Gwenodd Nonno â dim ond hanner ei geg – hanner gwên. "Ond dw i ddim am i dy fam deimlo'i bod hi'n cael ei gadael allan o bethe, Joe. Mae'n anodd arni."

Nodiodd Joe. "Hoffwn i pe baet ti 'nôl yn y caffi."

"Fi hefyd."

"Dw i'n gwrando ar dy opera di, Nonno."

"Da iawn," meddai Nonno. "Pam na ddoi di â'r recordydd tâp yma i fi, Joe? Dw i eisie parhau â'r stori – bydd e'n rhywbeth i fi neud."

Roedd Joe wrth ei fodd. "O'r gorau, Nonno."

Ar y ffordd adref cwrddodd Joe â Combi.

"Ma pawb yn siarad am Mimi," meddai Combi.

Roedd Joe'n amau fod pawb yn siarad amdani ond doedd e ddim eisiau gwybod hynny. "Dw i'n brysur."

"Ble ti'n mynd?" gofynnodd Combi.

"Llyfrgell Bryn Mawr."

Pan gyrhaeddodd Joe y llyfrgell sylweddolodd nad oedd e hyd yn oed yn aelod felly gofynnodd am gerdyn llyfrgell.

"Be ti am fenthyg?" gofynnodd Combi wrth i Joe

lenwi'r ffurflen.

"Llyfrau coginio."

"Llyfrau coginio?"

"Ie. Ti'n gwbod – ryseitiau ar gyfer prydau bwyd a sut i'w coginio nhw. Nagwyt ti erioed wedi coginio pryd o fwyd, Combi?"

"Do ... brechdan."

"Nid coginio yw hynny."

"Roedd hi wedi'i thostio, iawn?!"

Aeth Joe i'r adran goginio a daeth o hyd i lwyth o lyfrau coginio Eidalaidd. Dewisodd dri cyn symud i'r adran ieithoedd er mwyn chwilio am lyfr ymadroddion Eidalaidd. Roedd yn falch pan ddaeth o hyd i un oedd yn cynnwys adran gyfan ar fwyd a bwytai Eidalaidd.

"Pam wyt ti eisie'r rhain i gyd, 'te?" gofynnodd Combi.

"Dw i'n Eidalwr a dw i eisie coginio."

Anwybyddodd Joe sŵn twt-twtian Combi ac aeth â'r llyfrau i gael eu stampio.

"Wyt ti eisie help llaw i'w cario nhw i'r caffi?" gofynnodd Combi wrth iddyn nhw adael y llyfrgell.

"Na, dim diolch."

"Ti'n siŵr?"

"*Na*, dim diolch."

"Fe alwa i heibio'r caffi nes 'mlaen," meddai Combi.

"I be?"

Cododd Combi ei ysgwyddau, ond fe wyddai Joe pam, ac fe deimlai'n fwy a mwy blin.

UN DEG SAITH

Sleifiodd Joe i mewn trwy'r cefn ac aeth â'r llyfrau i'w ystafell. Yna aeth yn ôl i lawr i'r caffi. Roedd Mam yn sefyll wrth y cownter. "Helô, Mam."

"Helô."

Gwelodd Joe grŵp mawr o fechgyn yn llenwi dau fwth. Achosodd hyn benbleth iddo, gan nad oedd bechgyn yn dod i'r caffi ar ôl ysgol – fel arfer bydden nhw'n cwrdd y tu allan i'r Cwt Ffowls. Roedd Combi yn eu canol nhw a chododd ei law ar Joe.

"Beth yw hyn i gyd?" sibrydodd Joe gan ystumio tuag at y bechgyn.

"Tybed?" meddai Mam yn goeglyd.

"Ble ma Mimi, 'te?" gofynnodd Combi, wrth i ffôn symudol Mam wneud sŵn bipian.

"Ma'r bws i Aber yn cyrraedd," cyhoeddodd Mam yn uchel. Cododd rhai o'r cwsmeriaid eraill ar eu traed a cherdded allan. "All un ohonoch chi fynd â te i'r gyrrwr?"

Cafodd Tudur ei adael ar ôl gyda'r grŵp o fechgyn. "Ma'r lle 'ma'n llawn bywyd nawr."

"Ydy – arhosfan bws llawn bywyd," meddai Mam. "Perffaith."

Clywodd Joe sŵn drws yn cau'n glep a rhywun yn dod i lawr y grisiau.

Daeth Mimi i mewn i'r caffi.

"Helô," meddai Joe.

Safodd y bechgyn ar eu traed, ac ebychodd ambell un.

"Dw i'n mynd allan," meddai Mimi. "Ti'n dod gyda fi, Joe?"

"Wrth gwrs." Edrychodd ar y bechgyn. "Ti'n meddwl y gwnei di ymdopi, Mam?"

"Jest abowt," atebodd hithau. "Ma dy rif symudol di gyda fi rhag ofn y bydd argyfwng."

"Af i nôl fy nghot."

Gwibiodd Joe i'r gegin, ond erbyn iddo ddychwelyd i'r caffi roedd Mimi wedi'i hamgylchynu gan y bechgyn.

"O'r Eidal ma hi'n dod," meddai Combi. "Cyfnither Joe."

Gwthodd Joe ei ffordd i ganol y grŵp. "Rhowch le iddi anadlu!"

"Combi," meddai Mimi, "hoffet ti ddod draw am swper heno?"

Daeth sŵn twrw'r bechgyn i stop.

"Pam?" gofynnodd Joe.

"Mae e'n ffrind i ti," meddai Mimi. "Yn yr Eidal ry'n ni'n gwahodd ffrindiau i swper."

"Pam lai?" meddai Combi gan wenu ar Joe. "Bydd yn rhaid i fi ofyn i Mam, ond bydd hi'n iawn am y peth."

Aeth Joe allan gyda Mimi. Roedd e'n dwlu ar y ffordd y cerddai hi'n hyderus ar hyd y stryd gyda'i phen yn ôl a'i gwallt yn bownsio â phob cam, fel pe bai'n hapus o gael bod ar ei phen. Yn anffodus i Joe amgylchynodd yr haid o fechgyn nhw fel sgarmes rygbi, ac erbyn iddyn nhw gyrraedd y tu allan i'r Cwt Ffowls roedd plant o'u cwmpas ym mhobman.

"Mimi wyt ti, ie?" gofynnodd Cathy Jones.

"Ie."

"Ry'n ni wedi clywed amdanat ti."

"Ma hi mor bert," meddai merch arall, a mwmialodd sawl un eu cytundeb. "Gwallt hyfryd." "Llygaid anhygoel." "Oes tatŵs gyda ti?"

Cynigiodd Ryan Jenkins ei focs o sglodion iddi. "Ffansi un?"

Cododd Mimi un o'r sglodion, ei archwilio, a'i fwyta. Crychodd ei thrwyn. "Seimllyd a meddal."

"Dw i'n gwbod," meddai Ryan. "Hyfryd, yn dy'n nhw?"

"Ma'r bwyd yma'n ddrwg iawn, iawn i chi," meddai Mimi.

Nodiodd Joe er mwyn cytuno â hi.

"Dwed rhywbeth mewn Eidaleg," meddai Cathy wrth Mimi.

"*Mi chiamo Mimi. Piacere di conoscerti.*"

"Fy enw i yw Mimi a dw i'n falch iawn o gwrdd â ti," meddai Joe.

"Nid Mimi yw dy enw di!" meddai Ryan, a chwarddodd y lleill.

"Dyw hi ddim yn edrych dim tebyg i ti, Joe," meddai Cathy.

Syllodd pawb arno, gan chwilio am ryw debygrwydd, ac roedd amser fel pe bai wedi rhewi'n stond.

"Siop Mr Malewski," meddai Mimi, gan syllu ar draws y stryd. "Beth yw honna?"

"Siop ar gyfer pobl o Wlad Pwyl," meddai Combi. "A llefydd fel'na."

Croesodd Mimi'r stryd, ac aeth y plant gyda hi.

"Swper, 'te," meddai Combi wrth Joe wrth iddyn nhw eu dilyn.

"Os yw dy fam yn gadael i ti."

"Yw hi wedi bod yn gofyn tipyn amdana i, 'te?"

"Pwy?"

"Mimi."

Stopiodd Joe. "Naddo, dyw hi ddim."

"Ti'n siŵr?"

Yn sydyn cafodd Joe ei droi o gwmpas a darganfu ei hun wyneb yn wyneb â Bonner. "Davis! Dw i eisie rhif ffôn symudol Mimi. Dw i am ei gwahodd hi i wylio'r rygbi dydd Sadwrn."

"Dw i ddim yn meddwl bod gyda hi ffôn symudol," meddai Joe wrth iddo weld Mimi'n cerdded i mewn i siop Mr Malewski.

"Paid â'u palu nhw," meddai Bonner. "Ma ffôn symudol gyda chath fy mam i. Beth yw ei rhif hi?"

"Dw i ddim yn siŵr."

"Trio'i chadw hi i ti dy hun, wyt ti?"

"Na'dw."

"Ma fe, Bon," meddai Combi. "Ma Mimi newydd fy ngwahodd i i swper a ma fe'n genfigennus."

Syllodd Bonner arno. "Ma hi wedi dy wahodd di i swper?"

"Do?"

"Pam hynny?"

Cododd Combi'i ysgwyddau. "Falle'i bod hi'n fy ffansïo i."

Chwarddodd Bonner lond ei fol. "Da iawn, nawr." Trawodd ei law ar ysgwydd Combi. "Dw i'n gweud wrthoch chi – pan welith Mimi fi yn y gêm rygbi dydd Sadwrn, yn ysgwyd chwaraewyr oddi arna i fel briwsion, bydd hi'n llewygu – credwch chi fi."

Dechreuodd Joe boeni wrth ei wylio'n mynd.

"Fydde hi ddim yn edrych ar Bonner," meddai Combi. "Fydde hi?"

"Na," meddai Joe wrth ruthro i ddal fyny â Mimi, ond doedd e ddim yn rhy siŵr.

UN DEG WYTH

Arhosodd y plant y tu allan i'r siop wrth i Joe fynd i mewn i Emporiwm Mr Malewski. Gwelodd Mimi'n sefyll o flaen rhewgell gyda merch fechan. "Am beth ti'n chwilio?" gofynnodd i Mimi.

"Ma diddordeb gyda fi mewn gwahanol fwydydd, Joe," atebodd Mimi. "A gwahanol gynhwysion."

"Dw i erioed wedi bod i mewn fan hyn o'r blaen," meddai Joe gan edrych o'i gwmpas.

"Pam?" gofynnodd y ferch.

Cododd Joe ei ysgwyddau. "Siop i bobl o Wlad Pwyl yw hi, nage fe?"

"Bwyd yw bwyd, Joe," meddai Mimi. "Dyma

75

Marta. Mae hi'n gweithio 'ma."

"Gweithio 'ma?"

"Dw i'n helpu ar ôl ysgol," meddai Marta. "Mr Malewski yw fy nhad i, ac fe ddywedodd e y bydda i, pan fydda i'n un deg wyth," daliodd y ferch saith bys i fyny, "mewn saith mlynedd, yn cael bod yn ddirprwy reolwr." Winciodd ar Joe.

"Beth yw hwn?" gofynnodd Mimi gan gydio mewn jar.

"Bresych wedi'u piclo," meddai Marta.

"Hyfryd," meddai Mimi.

"Ydych chi am brynu rhywbeth neu dim ond edrych?"

Trodd Joe a gweld dyn yn cydio mewn sawl bocs. Mwmialodd rywbeth mewn Pwyleg wrth Marta, ac fe daflodd hithau ei breichiau yn yr awyr cyn ei ateb yn ôl.

Syllodd y dyn ifanc ar Mimi. "Wyt ti o Wlad Pwyl?"

"Nadw, o'r Eidal."

"Does dim bwyd Eidalaidd gyda ni."

"Dyma Dariusz, fy mrawd," meddai Marta. "Bydd e'n gweithio i fi pan fydda i'n rheoli'r siop."

Chwarddodd Dariusz, gan ddatgelu dant aur. Roedd Joe'n meddwl ei fod e'n ddigywilydd, ond fedrai e ddim peidio â sylwi ar ei lygaid glas treiddgar ac ar y ffaith fod llewys ei grys wedi'u rolio'n uchel gan ddatgelu breichiau cyhyrog a oedd yn drwch o datŵs.

"Dim ond bwyd o Wlad Pwyl sydd gyda chi?" gofynnodd Mimi.

"Na, meddai Marta. "Ma gyda ni fwyd o Rwsia, Bwlgaria, Lithwania, Romania ..."

"Pam ddim bwyd o'r Eidal?"

"Ma bwyd Eidalaidd ym mhobman – yn unrhyw archfarchnad," meddai Dariusz. Symudodd yn agosach at Mimi – yn rhy agos, ym marn Joe.

Camodd Marta rhyngddyn nhw. "Ma pobl yn dod fan hyn oherwydd eu bod nhw'n gweld eisie pethau o'u gwlad nhw, wyt ti'n deall?" meddai. "Ma nhw'n talu arian, ma nhw'n gadael yn hapus ac ma nhw'n dod 'nôl pan fyddan nhw'n teimlo'n drist neu'n gweld eisie eu gwlad eto. Busnes da, ti'm yn meddwl?" Gwenodd.

"Da iawn," meddai Mimi.

Ceisiodd Joe dynnu corneli'i geg i lawr eto ond dim ond llwyddo i godi'i aeliau a wnaeth eto. Roedd angen ymarfer arno.

"Helô, Joe," meddai Mr Malewski wrth ddod trwodd o gefn y siop. "Fe glywais i am Mr Merelli. Sut mae e?"

"Yn gwella," meddai Joe.

"Da iawn. Da iawn."

Dechreuodd Marta siarad Pwyleg eto. Nodiodd

Mr Malewski. Estynnodd Marta becyn o selsig o'r rhewgell a'i roi i Mimi. "*Kabanos* – selsig Pwylaidd blasus iawn."

"Faint?" gofynnodd Mimi.

"Sampl am ddim," meddai Mr Malewski. "I Mr Merelli a ti, ferch brydferth."

"Diolch," meddai Mimi.

"Dere 'nôl yn fuan a thrio rhywbeth arall," meddai Marta. "Un diwrnod bydd y siop 'ma'n eiddo i fi." Chwarddodd Mr Malewski wrth i Marta a Dariusz ddechrau dadlau.

Dychwelodd Joe a Mimi i'r caffi, a'r dorf o blant yn eu hamgylchynu o hyd, fel praidd o ddefaid. Meddyliodd Joe pa mor cŵl ac aeddfed yr ymddangosai Mimi, ac ystyriodd tybed a oedd llawer o fenywod yn priodi dynion iau.

"Faint yw dy oed di, Mimi?" gofynnodd Combi, fel pe bai wedi darllen meddwl Joe.

"Ugain," atebodd Mimi. "Pam?"

"Ro'n i'n meddwl dy fod di'n hŷn," meddai Combi.

Stopiodd Joe e wrth i Mimi gerdded ymlaen. "Roedd hynna'n ddigywilydd."

"Na," meddai Combi. "Mae'n ddigywilydd dweud hynna wrth hen fenywod, fel ein mamau ni, ond ma menywod ifanc yn hoffi clywed sylwadau fel'na – ffaith."

"*Rwtshissimo!*" meddai Joe.

"Be?"

"Ti'n ychwanegu *issimo* at ddiwedd gair mewn Eidaleg er mwyn ei bwysleisio."

Gwelodd fod Mimi ar fin mynd yn ôl i'r caffi a rhedodd yn ei flaen.

Ar ôl mynd i mewn caeodd ddrws y caffi'n gyflym.

"Ry'n ni ar gau," gwaeddodd ar y plant y tu allan.

"Joe! Ma hanner awr arall nes ein bod ni'n cau," meddai Mam.

"Dim ond gwastraffu amser ma nhw," meddai Joe wrth gloi'r drws. "Fe gewn ni noson gynnar."

"Wela i chi amser swper," galwodd Combi trwy'r ffenest.

Tynnodd Joe y bleind i lawr.

"Beth roedd Mimi'n gwneud draw yn siop Mr Malewski?" gofynnodd Mam.

"Ma ganddi ddiddordeb mewn bwyd."

"Beth, hyd yn oed bwyd o Wlad Pwyl?"

"Oes, Mam. Be sydd o'i le ar hynny?"

Aeth Joe i fyny'r grisiau i ddechrau darllen ei lyfrau.

UN DEG NAW

Daeth dŵr i ddannedd Joe wrth iddo chwilota trwy'r ryseitiau yn y llyfrau coginio. Gallai arogleuo perlysiau a sbeisys hyfryd, hyd yn oed, ond yna sylweddolodd fod Mimi'n coginio, siŵr o fod. Penderfynodd mai nawr oedd yr amser i ofyn iddi.

Daeth o hyd iddi'n gweithio'n ddyfal yn y gegin unwaith eto. Roedd fel pe bai hi yn ei 'man arbennig', felly dechreuodd Joe osod y bwrdd ar gyfer swper.

"Mimi ..."

Gwnaeth Mimi sŵn er mwyn ymateb iddo.

"Ro'n i'n arfer gwylio Nonno'n coginio ..."

"Ydy e'n dda?"

"Ydy, yn dda iawn."

Torrodd Mimi winwnsyn yn egnïol a gorfod i Joe weiddi er mwyn cael ei glywed. "Wnei di fy nysgu i i goginio?"

Stopiodd Mimi a throi tuag ato. "Wrth gwrs, Joe," meddai dan wenu. "Ma saws pasta'n hawdd," meddai. "Ti'n ffrio winwns wedi'u torri'n fân a garlleg ac yn ychwanegu tun o domatos. Yna galli di roi beth bynnag hoffi di – cig, pysgod … neu bys, corbwmpenni, madarch … a halen, pupur a pherlysiau bob tro."

Roedd Mimi'n parhau i goginio wrth iddi siarad.

Sylwodd Joe cymaint y defnyddiai ei dwylo i ystumio wrth siarad. Sylwodd ei bod yn defnyddio un yn enwedig yn aml – byddai'n dal blaenau ei bysedd a'i bawd gyda'i gilydd ac yn symud ei llaw yn ôl ac ymlaen, fel pe bai'n ysgwyd rhywbeth. "Pam wyt ti'n gwneud yr ystum yma gyda dy ddwylo?" gofynnodd, gan ddangos yr hyn y sylwodd arno.

"Ma Eidalwyr yn defnyddio'u dwylo pan fyddan nhw'n siarad. Ma hwn," meddai Mimi, gan ailadrodd yr ystum gyda'i bysedd wedi'u dal ynghyd, "yn gallu golygu, '*Wyt ti'n credu'r peth?*' neu '*Am beth ti'n siarad?*'"

Chwarddodd Joe. Wrth i Mimi siarad roedd yr ystum fel pe bai'n gweddu i'r dim – fel pe bai hi'n pwysleisio'r hyn roedd hi'n ddweud. Canodd cloch y drws.

Agorodd Joe y drws a gwelodd Combi yno'n dal tusw o flodau. Edrychai'n wahanol rywsut. "Be wyt ti wedi neud i dy wallt?"

"Dim byd," meddai Combi wrth gerdded heibio i Joe a rhoi'r blodau i Mimi. "I ti."

"O, diolch." Cusanodd Mimi Combi ar ei ddwy foch. Doedd Joe heb weld Combi'n cochi cymaint ers y tro y rhwygodd ei drywsus pan blygodd i godi bar o siocled o'r llawr.

"Gad i fi fynd â dy got di," meddai Joe.

"Mynd â 'nghot i i ble?"

Sylwodd Joe fod Combi'n syllu ar Mimi â gwen ar ei wyneb, fel pe bai'n edrych ar fasgedaid o gŵn bach.

"Felly ... sut mae'n mynd?" gofynnodd Joe.

"Iawn," atebodd Combi, heb edrych arno, hyd yn oed.

"Ffansi gêm ar yr Xbox?" gofynnodd Joe er mwyn tynnu'i sylw.

"Na, dim diolch," meddai Combi. "Fe arhosa i fan hyn."

Trawyd Joe gan don o anniddigrwydd, cyn gryfed ag arogl y winwns yn ffrio. Roedd ganddo gystadleuaeth am sylw Mimi, a hynny gan ei ffrind gorau.

DAU DDEG

Eisteddodd pawb i lawr i gael bwyd, a dechreuodd Mimi ei weini. Pasiwyd y platiau o amgylch y bwrdd. "Diod, Combi?" gofynnodd Dad.

"Coke, plis."

"A dweud y gwir," meddai Joe, "ma dŵr neu win yn well i'w yfed gyda bwyd."

"Ddarllenaist ti hynna mewn llyfr, do fe?" meddai Combi wrth i blatiaid o fwyd lanio o'i flaen. "Beth yw hwn?"

"Golwyth cyw iâr mewn briwsion bara," eglurodd Mimi.

Prociodd Combi'r llysieuyn ar ochr y plât. "Ond

beth yw hwn – winwns?"

"Ffenigl," meddai Mimi.

"Beth yw ffenigl?" gofynnodd Combi.

Twt-twtiodd Joe.

"Wel, beth *yw* ffenigl?" gofynnodd Combi iddo.

Aeth Joe i banig. "Wel, ffenigl, yn dyfe."

"Dy'n ni erioed wedi'i fwyta fe," meddai Mam wrth Mimi.

"*Dw i* wedi!" meddai Joe.

"Sut ma fe'n blasu, 'te?" gofynnodd Mam.

Wyddai Joe ddim, ond cyn iddo fedru ateb dywedodd Combi, "Licris! Ma fe'n blasu fel licris! Pa mor rhyfedd yw hynny?"

Blasodd Joe damed ohono'n gyflym.

"Dim licris. Hadau anis."

"Wyt ti'n ei hoffi fe, Combi?" gofynnodd Mimi.

"Ydw. Ma fe mor hyfryd â ti," atebodd Combi.

"O, ma fe'n trio dy swyno di!" meddai Mam.

Bu raid i Joe atal ei hun rhag gwneud sŵn griddfan. "*È molto buono,*" meddai wrth Mimi. "*Buonissimo.*"

"Ti'n siarad Eidaleg, Joe!" llefodd hi.

"*Un poco,*" atebodd yntau. "*È pieno ... di sapore. Saporissimo!*"

"Beth ma hynna'n ei olygu?" gofynnodd Combi.

"Bod y bwyd yn llawn blas," meddai Joe.

"Ydy, fel Coke," atebodd Combi.

"O, gyda llaw, Joe, dw i wedi rhoi dy enw di lawr ar gyfer hyfforddiant rygbi."

"Beth? Ond dw i ddim eisie."

"O, dere 'mlaen," meddai Mam. "Fe wneith les i ti. Fe ddywedodd Mr Hywel ei fod e wastad yn falch o gael aelodau newydd. Dydd Sadwrn, hanner awr wedi dau ar gae rygbi Bryn Mawr."

"Falle byddi di'n chwaraewr rygbi naturiol," meddai Dad. "Ac y byddi di'n ennill cap dros Gymru yn y dyfodol."

"Fe wertha i docynnau," meddai Combi, a rhoddodd Joe gic iddo o dan y bwrdd.

"A, ie, rygbi," meddai Mimi. "Fe ofynnodd Bonner i fi fynd i'w wylio fe."

"Bydd e mor ddiflas," meddai Combi. "*Diflas-issimo!*" ychwanegodd gan wenu ar Joe.

"Os yw Joe'n chwarae fe af i," meddai Mimi.

"Ocê, fe af i â ti," meddai Combi.

"Fydd dim angen," meddai Joe.

"Ond fe *hoffwn* i," mynnodd Combi.

Syllodd y ddau ar ei gilydd.

"Combi, beth wyt ti'n hoffi ei fwyta gartre?" gofynnodd Mimi.

"Mae'n amrywio," atebodd Combi, gan blethu'i fysedd. "Ond, yn gyffredinol, Mimi, bysedd pysgod yw fy ffefryn i."

"Bysedd ... pysgod?" ailadroddodd Mimi. "Beth yw'r rheiny?"

"Pysgod mewn briwsion bara," meddai Dad.

"Bwyd o ansawdd gwael iawn," ychwanegodd Joe.

"Beth ti'n feddwl, 'ansawdd gwael'?" gofynnodd Combi.

"Wel, dydyn nhw ddim cystal â physgod go iawn, nagyn nhw?" meddai Joe.

"Ydyn, ma nhw – dim croen llawn llysnafedd. Dw i'n dwlu ar frechdan bysedd pysgod."

"Brechdan ... bysedd ... pysgod," ailadroddodd Mimi.

"Ry'n *ni'n* bwyta bysedd pysgod," meddai Mam. "Dw i erioed wedi dy glywed di'n cwyno, Joe."

"Ddim yn aml iawn," meddai Joe wrth Mimi. "Falle pan nad yw Nonno'n coginio."

"Diolch, Joe," meddai Mam. "Felly pan oeddet ti'n estyn dy blat am fwy roeddet ti'n gorfodi dy hun, oeddet ti?"

Pwyntiodd Combi ato. "Ha!"

"Gofynnodd Nonno i fi ddod â'r recordydd tâp iddo," meddai Joe, er mwyn newid trywydd y sgwrs.

"Pam?" gofynnodd Joe.

"Mae e eisie parhau i adrodd ein hanes ni, Mam – hanes Caffi Merelli."

"Joe, wnei di ymuno â'r byd go iawn, plis?" meddai Mam. "Ma Nonno newydd gael strôc!"

"Ma fe *eisie* gwneud," meddai Joe. "Ma fe'n meddwl y bydd e'n ei helpu fe. Ma fe wedi diflasu yn yr ysbyty."

"Fe wneith les iddo fe, cariad," meddai Dad. "Cadw'i hun yn brysur – ma hynny'n bwysig."

Ochneidiodd Mam. "Cer â'r recordydd tâp iddo fe, ond paid â'i boeni fe, Joe."

Dychwelodd pawb at y bwyd. Edrychodd Joe draw ar Mimi. Daeth o hyd i wybodaeth siomedig ar y we am fenywod hŷn a dynion iau – byddai pobl yn barnu bod y menywod yn 'ddigon hen i fod yn fam' i'r dynion ac yn galw'r dynion yn 'gariadon bach'. Sylwodd fod Combi'n syllu arni eto.

"Combi, wyt ti wedi clywed am *Rigoletto*?" gofynnodd er mwyn tynnu sylw'i ffrind.

"Gêm Xbox, ife?"

"Na. Opera gan Verdi yw hi. Mae'n wych."

Rholiodd Combi'i lygaid.

"Yn enwedig pan ma merch Rigoletto'n cael ei dwyn," meddai Joe. "Ma nhw'n mynd â hi er mwyn tynnu coes, gan eu bod nhw'n meddwl mai ei gariad e yw hi, ti'n gweld, ond ei ferch e yw hi mewn gwirionedd ac ma fe'n ei chuddio hi oddi wrth bawb."

"Swnio'n *ffiaidd-issimo*," meddai Combi.

Ysgydwodd Joe ei ben. "Dyw e ddim. Opera yw e."

"Gyda llaw, Mimi," meddai Mam, "sut mae dy fam a dy dad?"

"Ma Mamma'n weddol. Ma hi'n gwnïo rhywfaint i bobl, yn glanhau rhywfaint, ti'n gwbod?"

"A Papà?"

"Wedi mynd," meddai Mimi.

"Wedi marw?"

"Na. Fe gwrddodd â dawnswraig o Rufain ac fe aeth e."

"Ma hynna'n ofnadwy."

"Ydy. Dyn drwg," meddai Mimi. "A dydy hi ddim hyd yn oed yn ddawnswraig dda."

Ysgydwodd Mam ei phen.

Cododd Dad ar ei draed yn sydyn. "Joe, Combi, dewch i helpu gyda'r llestri."

DAU DDEG UN

Roedd Nonno'n cysgu pan gyrhaeddodd Joe ward yr ysbyty, felly gosododd y recordydd tâp wrth ei wely ac ysgrifennodd nodyn iddo. *Cymer dy amser, Nonno – pan fyddi di awydd gwneud. Cariad, Joe xx*

Erbyn iddo gyrraedd 'nôl i'r Stryd Fawr roedd hi'n dywyll – dim ond siop Mr Malewski a'r siop fetio oedd yn dal ar agor. Wrth iddo gerdded heibio i'r caffi gwelodd Mimi, a'i gwallt wedi'i glymu i fyny, yn gweithio ar y peiriant espresso. Cododd Joe law arni, ond welodd hi mohono fe gan ei bod hi'n canolbwyntio'n llwyr ar y dasg.

Rhedodd Joe i'r ali gefn ac i iard gefn y caffi. Roedd

ei wynt yn ei ddwrn pan gyrhaeddodd y gegin a thynnu'i got. Taclusodd ei wallt yn y drych cyn mynd i mewn i'r caffi mor ddidaro ag y gallai.

"Helô," meddai. "Ti eisie help llaw?"

"Ydw, galli di lanhau hwn," meddai Mimi wrth estyn darn o'r peiriant oedd wedi'i orchuddio â rhwd.

Torchodd Joe ei lewys a dechrau sgwrio. Edrychodd ar ei freichiau ond cafodd siom o sylwi pa mor denau ac eiddil roedden nhw. Edrychai Mimi hyd yn oed yn fwy prydferth yn y golau a adlewyrchai oddi ar y peiriant espresso, ond eto roedd rhywbeth trist yn ei chylch. "Yw popeth yn iawn, Mimi?"

Trodd tuag ato a disgynnodd cudyn o'i gwallt dros ei hwyneb. "Dyw e'n ddim byd."

Meddyliodd Joe am ei thad yn gadael gyda'r ddawnswraig. "Hoffwn i wbod ..." meddai, "... teuluoedd – beth wnei di â nhw?"

Gwenodd Mimi ac anwesu'i foch. Aeth wyneb Joe yn boeth i gyd, fel pe bai ganddi bwerau hudol. "Wyt ti'n gweld eisie'r Eidal?" gofynnodd.

"Ydw, ychydig bach, ond ... ma'r lle yma'n fy ngwneud i'n drist, Joe."

"Be, y caffi?"

Nodiodd Mimi. "Fe siaradais i â Nonno yn yr ysbyty ac fe ddywedodd e wrtha i sut le oedd y caffi amser maith yn ôl. Ma caffi fel person, Joe – ma pob un yn wahanol. Ma rhai caffis yn llefydd hamddenol, ma rhai yn ... beth fyddet ti'n ddweud ..." Gwnaeth ystum ffroenuchel.

"Crand?"

"Ie. Ma rhai caffis yn hapus, ond hwn ... ma hwn yn drist."

Syllodd Joe o'i gwmpas a sylweddoli ei bod hi'n iawn.

"Yn yr Eidal," meddai hi, "ma pawb yn caru caffis a bwytai – ma nhw'n cwrdd a siarad yno, ond dim fan hyn, ac ma hynny'n gwneud i fi deimlo'n drist."

"Oes rhywun ... oes rhywun 'nôl yn yr Eidal?" gofynnodd Joe, yn torri'i fol eisiau gwybod. "Hynny yw ... fel cariad?"

"Na," atebodd Mimi. "Ond unwaith ..."

"Ie?" holodd Joe.

Daeth edrychiad rhyfedd dros wyneb Mimi, fel pe bai hi'n gweld trwy'r waliau. "Ma gŵyl fwyd leol yn cael ei chynnal yn ein tre ni," meddai. "Selsig, pasta, caws, bara, popeth. Ac ma nhw'n coginio, hefyd – pawb yn rhannu a blasu. Mae'n fendigedig, Joe. Roedd yna ddyn ifanc, roedd e'n coginio tomatos ffres. Fe ofynnais i iddo fe beth roedd e'n gwneud. 'Saws' atebodd e – ond wnaeth e ddim hyd yn oed edrych arna i – *antipatico*."

"Anti-beth?"

"*Antipaticio* – mae'n golygu ddim yn neis neu anghwrtais. Roedd e'n coginio a blasu, coginio a blasu. Ac yna roedd e'n cymysgu'r saws gyda'r pasta ac yn ei weini er mwyn i bobl ei flasu. Felly fe flasais i beth ohono."

"A?"

"Ooo." Gwasgodd Mimi flaenau ei bysedd ynghyd a'u cusanu. "Roedd e'n fendigedig, ac mor syml, Joe. Perffaith. Fe edrychais i arno fe ac fe edrychodd e arna i ... yna ... CRASH!"

"Beth?"

"Pan edrychais i yn ei lygaid e, fe glywais i sŵn CRASH!" meddai Mimi â'i llygaid fel soseri. "Fel sŵn taranau."

"Oedd e'n olygus?"

Tynnodd Mimi gorneli'i cheg i lawr. "Dim mewn gwirionedd – trwyn mawr, clustiau mawr." Chwarddodd. "Ond dydy hynny ddim yn bwysig, Joe. Ei fwyd e! *Mamma mia*!"

"Beth ddigwyddodd wedyn?"

"Aeth fy ffrindiau â fi rownd y stondinau eraill er mwyn blasu bwydydd gwahanol, a phan es i 'nôl, roedd e wedi mynd."

"Ond ma'n rhaid mai bachgen lleol oedd e," meddai Joe.

Ysgydwodd Mimi ei phen. "Es i i weld y gwneuthurwr

pasta y diwrnod wedyn. Fe ofynnais i am y dyn oedd yn coginio'r saws. Fe ddywedodd e, 'Aaaa, Giovanni? Mae e wedi dychwelyd i Napoli.' Roedd e fel pe bai wedi diflannu, Joe, fel blas ei saws e – prydferth, ond wedi mynd." Syllodd Mimi allan trwy'r ffenest fel pe bai'n gobeithio'i weld.

"Est ti ddim i Napoli er mwyn trio dod o hyd iddo fe?" gofynnodd Joe.

"Roeddwn i'n methu. Roedd ar Mamma fy angen i, a doedd gen i ddim arian." Syllodd arno a gwyro'i phen. "Wyt ti erioed wedi syllu i lygaid rhywun, Joe, a chlywed sŵn taranau?"

"Dim taranau," atebodd Joe. "Ond fe glywais i gerddoriaeth unwaith."

Daeth cnoc ar y ffenest. Gwelodd Joe ddyn ifanc wedi'i wisgo'n smart, a meddyliodd am foment tybed ai Giovanni oedd yno, neu un o edmygwyr newydd Mimi. "Ry'n ni wedi cau," meddai, er bod hynny'n reit amlwg.

"Mae gen i apwyntiad gyda Mrs Davis," meddai'r dyn o'r tu allan. "Fi yw'r arwerthwr tai."

Agorodd Joe ddrws y gegin a gweiddi i fyny'r grisiau. "Mam – ma 'na ddyn tu fas – ma fe'n gweud mai arwerthwr tai yw e a'i fod e 'ma i dy weld di."

"Gad e mewn, Joe."

Aeth Joe o amgylch y cownter a dechrau datgloi

drws y caffi. Daeth y dyn i'r caffi a brwsio'r diferion glaw oddi ar ei ddillad. "Tywydd ofnadw," meddai. Edrychodd o amgylch y caffi. "Wel, ma hwn yn ... retro."

"Noswaith dda," meddai Mam wrth gerdded i mewn. "Ma'n rhaid mai chi yw Mr Roberts yr arwerthwr tai."

Roedd Joe yn flin. "Mam, ddwedest ti wrth Nonno fod y boi 'ma'n dod?"

"Esgusoda fi, Joe." Trodd Mam at y dyn a dweud, "Dewch gyda fi, os gwelwch yn dda, ac fe ddangosa i'r adeilad i chi."

"Ma hi'n gwerthu'r lle," meddai Joe wrth i Mam a'r arwerthwr tai fynd i fyny'r grisiau.

"Ond roeddet ti'n gwbod hyn, oeddet ti?" gofynnodd Mimi.

"Oeddwn, ond dim yn syth bin. Dim tra bod Nonno dal yn yr ysbyty." Syllodd ar y ddau lun du a gwyn ar y wal. "Dim nawr."

"Joe, druan," meddai Mimi, gan gyffwrdd yn ei fraich, ond sylweddolodd Joe nad oedd neb arall yn poeni – dim fel roedd e'n poeni.

DAU DDEG DAU

Aeth Joe yn syth i'r ysbyty ar ôl ysgol a dweud wrth Nonno am yr arwerthwr tai.

"Ma'n rhaid i ti gofio, Joe," meddai Nonno, "mai dy fam sy'n berchen ar y caffi. Edrych ar fy ngolwg i – alla i ddim helpu nawr."

"Ond ma Mimi yma i fy helpu i."

"Dim ond am sbel fach," meddai Nonno. "Dw i'n gwbod be ti'n feddwl, Joe, ond ma'n rhaid i ti sylweddoli rhywbeth – busnes ein teulu ni yw'r caffi, ond fe roddes i fe i dy fam pan oedd e eisoes mewn trafferthion. Pa fath o etifeddiaeth yw hynny? Wrth gwrs, ro'n i'n gobeithio y bydde rhywbeth yn newid, ond nid ei bai hi yw hynny. Fe ddiflannodd y cwsmeriaid amser cinio pan gaeodd y pyllau glo, ac yna, yn fwy diweddar, y ffatri geir. Dydy pobl ddim yn bwyta mas, Joe, ddim ffordd hyn, beth bynnag. Nawr ma dy fam eisie gwerthu. Sut galla i ei rhwystro hi?"

Roedd golwg drist, wedi'i drechu ar Nonno. "Am wn i," meddai Joe.

"Dw i wedi adrodd mwy o'r stori i ti," meddai Nonno, gan ddal casét yn ei law.

Pan gyrhaeddodd Joe adref, aeth yn syth i'w ystafell.

"Dw i'n cofio'r diwrnod yr ymosododd Hitler ar Wlad Pwyl yn un naw tri naw. Roedd Papà a Mario'n poeni gan fod Prydain a Ffrainc wedi dweud eu bod nhw'n mynd i ryfel yn erbyn yr Almaen, ond wnaeth yr Eidal a Mussolini ddim byd. Roedd hi'n adeg bryderus iawn. Roedd Prydain yn rhyfela. Roedd pawb yn nerfus – roedd Mussolini'n meddwl bod Hitler yn gwneud yn dda a doedd e ddim am gael ei adael allan o bethe. Yna, fe ymosododd Hitler ar Ffrainc, a dyna pryd y dechreuon ni boeni go iawn.

Dwi'n meddwl fod Papà yn gwbod beth oedd ar fin digwydd ac fe ddechreuodd e gasglu bwyd ynghyd. Roedd e'n piclo bwydydd rownd y cloc – ac yn sychu a storio ffa, corn a thatws. Un diwrnod ro'n i'n ei helpu fe wrth iddo halltu pysgod er mwyn eu cadw. 'Beth sy'n mynd i ddigwydd, Papà?' gofynnais.

Stopiodd a syllu arna i, fel pe bai'n ceisio penderfynu a oeddwn i'n ddigon hen i gael gwbod ai peidio. 'Bydd yr Eidal yn ymuno â'r Almaen ac yn rhyfela yn erbyn Prydain.'

'Na, Papà,' meddwn i. 'Dydy Mussolini ddim mor wirion â hynna.'

Dim ond deuddydd yn ddiweddarach oedd hi, yn gynnar iawn yn y bore, pan glywais y sŵn cnocio – ro'n i'n ei glywed yn yr atig, hyd yn oed. Sŵn cnocio crac, ac ro'n i'n gwbod fod rhywbeth gwael yn digwydd.

Daeth PC Williams a swyddog o'r fyddin i mewn i'r gegin yng nghefn y caffi. Dw i'n cofio PC Williams yn ailadrodd dro ar ôl tro, 'Sorri, Mr Merelli.'

Esboniodd swyddog y fyddin y sefyllfa – gan fod Mussolini wedi ymuno â Hitler a'r Almaen, roedd llywodraeth Prydain wedi penderfynu caethiwo'r holl estron-elynion. Wna i fyth anghofio'r geiriau hynny – estron-elynion.

Roedd Papà wedi drysu, felly fe esboniodd yr heddwas mewn geiriau syml. 'Ry'n ni'n eich arestio chi.' Dechreuodd Mamma lefen, ond dim ond chwerthin wnaeth Papà. Rhoddodd gusan iddi a dweud wrthi am beidio â phoeni gan y byddai yn ôl o fewn ychydig, ond ysgwyd ei ben wnaeth PC Williams. 'Ma'n ddrwg gen i, Mr Merelli, ond fyddwch chi ddim. Ry'ch chi'n mynd i farics y fyddin i gael eich caethiwo am gyfnod amhenodol.'

'Carcharor rhyfel,' ychwanegodd swyddog y fyddin.

'Ond dw i wedi byw yma ers blynyddoedd bellach,' dywedodd Papà. 'Fe agorais i'r caffi yma, dw i'n gweithio yma, mae gen i ffrindiau yma. Mae Mussolini'n glown. Fe wnaeth fy chwaer a'i gŵr, Marco, ddianc o'r Eidal i fod yma yng Nghymru hefyd!'

'Dw i wedi cael gorchymyn,' meddai swyddog y fyddin. 'Dw i'n rhoi pum munud i chi a'ch brawd yng nghyfraith i gasglu'r hyn sydd ei angen arnoch chi a dod gyda ni.'

Fe sylweddolais i nad oedd yr hyn oedd yn digwydd yn mynd i gael ei ddatrys o fewn ychydig ddyddiau. 'Dw i'n mynd gyda Papà,' dywedais.

'Na. Rwyt ti'n rhy ifanc,' meddai swyddog y fyddin. 'Ac fe gefaist ti dy eni yma, sy'n dy wneud di'n Brydeiniwr.'

'Eidalwr ydw i!' gwaeddais.

'Gwranda!' meddai Papà wrth iddo ddal yn fy ysgwyddau. 'Ti yw'r bos nawr. Ma'n rhaid i ti helpu Mamma a Zia. Dw i angen i ti fod yn ddewr a rhedeg y caffi fel y gwyddost ti sut mae gwneud. Un diwrnod bydd y rhyfel drosodd a bydd popeth 'nôl fel roedd e.'

Rhoddodd gusan i fi a dweud hwyl fawr wrth Mamma cyn iddyn nhw fynd ag e a Mario i ffwrdd. Doeddwn i ddim yn deall sut gallai hynny ddigwydd. Pam oedd y Prydeinwyr yn meddwl bod angen iddyn nhw gaethiwo'r holl Eidalwyr? Fe wnaethon nhw yr un fath gydag Almaenwyr ar hyd a lled Prydain hefyd, wrth gwrs. Y *foment honno, â'r holl ddryswch a dicter yn fy mhen, roedd dal angen i fi agor y caffi. Roedd Mamma eisie'i gau e. 'A byw ar beth?' gofynnais.*

Dyna'r cyfan oedd ar ôl. Dyna'r cyfan oedd gyda ni. Felly fe agoron ni."

Stopiodd Joe y tâp. Eisteddodd yno mewn syndod – doedd ganddo ddim syniad fod hyn i gyd wedi digwydd. Aeth yn syth i lawr y grisiau.

DAU DDEG TRI

Gwen oedd yr unig gwsmer yn y caffi pan gyrhaeddodd Joe yn ôl yno. Eisteddai Mimi gyda hi. "Mam," meddai Joe, "oeddet ti'n gwbod bod fy hen dad-cu i wedi cael ei arestio adeg y rhyfel?"

"Do, roedd e'n ofnadw," meddai Mam. "Roedd rhai o'r Eidalwyr wedi bod yn byw yng Nghymru ers blynyddoedd, yn hirach na fe, hyd yn oed, ond doedd hynny'n gwneud dim gwahaniaeth. Doedden nhw ddim yn ffasgwyr, ond penderfynodd y llywodraeth eu caethiwo nhw beth bynnag, jest rhag ofn."

"Ond pam?" gofynnodd Joe. "Beth oedden nhw'n poeni fyddai'r Eidalwyr yn ei wneud?"

"Ro'n nhw'n poeni y gallai unrhyw un oedd yn cydymdeimlo â'r ffasgwyr ymyrryd â'r ymgyrch ryfel draw fan hyn," meddai Mam. "Ond doedd papà Nonno ddim yn cytuno â'r hyn roedd Mussolini yn ei wneud, na Hitler, yn amlwg. Pam wyt i'n holi hyn nawr?"

"Ro'n i'n gwrando ar y tapiau a recordiodd Nonno," meddai Joe.

"O," meddai Mam gan anadlu'n ddwfn.

"Ti'n edrych wedi blino, Mam."

"Ydw. Chysgais i ddim yn dda neithiwr."

"Pam na ei di lan i orffwys?" awgrymodd Joe. "Fe gymera i drosodd nes ei bod hi'n amser cau."

"Diolch, cariad." Rhoddodd gusan iddo a mynd i fyny'r grisiau.

Gwnaeth Joe baned o de a mynd â hi i Gwen. "Am ddim," meddai wrth ymuno â hi a Mimi.

"O, diolch, Joe," meddai Gwen. "Dw i'n clywed bod dy fam yn mynd i gau'r caffi?"

"Ydy."

"Am drueni," meddai Gwen. "Ble bydda i'n mynd? Yn enwedig nawr gan dy fod di'n rhoi gwbod i ni pan ma'r bws ar ei ffordd. Ti'n un dda am feddwl am y gymuned."

Roedd Joe wedi'i synnu. Doedd Gwen ddim fel pe bai'n treulio llawer iawn o amser yn y caffi.

"Gwen," meddai Mimi, "ga i ofyn beth rydych chi'n gwneud gyda'r nos?"

"Fi? Aros gartre, gwylio'r teledu. Pam?"

"Ydych chi'n mynd allan gyda'r nos o gwbl?"

"O, na. Noson allan i fi yw gwthio'r bin ar olwynion at y gât ffrynt."

"Beth am bryd o fwyd allan gyda'ch ffrindiau?"

"Alla i ddim fforddio hynny."

Daeth neges destun drwodd ar ffôn Joe. "Ma'r bws i Bontypridd ar y ffordd."

"Fi yw hwnna," meddai Gwen. "Hwyl nawr."

Agorodd Joe y drws iddi.

"Ma hi'n unig," meddai Mimi wedi iddi fynd. "Dyna pam ma hi'n dod 'ma."

Sylweddolodd Joe fod Mimi'n iawn wrth iddo wylio Gwen yn mynd at y bws.

"Hoffwn i glywed y tapiau ti'n sôn amdanyn nhw, Joe," meddai Mimi.

"Tapiau Nonno?"

"Ie. Oes ots gen ti?"

"Na. Dim o gwbl."

DAU DDEG PEDWAR

Roedd Joe wrth ei fodd yn gwrando ar y tapiau eto, ac yn enwedig yn eu rhannu nhw â Mimi a eisteddai yn ei ymyl. Gwrandawodd y ddau ar weddill yr un diweddaraf.

"Fe glywais i'r ffenest yn chwalu'n deilchion yng nghanol y nos. Ro'n i'n gwbod yn syth ei fod wedi'i wneud yn fwriadol. Do'n i'n methu'n lân â deall pam fod pobl yn ein casáu ni. Yn ein casáu ni am fod yr un fath yn union ag oedden ni cynt – Eidalwyr gweithgar. Gorfod i ni godi ynghanol y nos a gosod bordiau pren dros y ffenest. Fe ddes i o hyd i fricsen a nodyn arni: 'Ewch adre, Ffasgwyr.'

Wnes i ddim ei ddangos e i Mamma – roedd hi wedi'i hypsetio ddigon fel roedd hi.

Y bore wedyn fe wnes i bwynt o wisgo cot wen, yn union fel Papà. Fe wisgais i grys a thei ac fe stwffiais i bapur newydd yn ei het e er mwyn iddi fy ffitio i. Ro'n i'n camu i sgidiau Papà hyd nes iddo fe ddychwelyd. Fe wnes i arwydd a'i roi dros y ffenest wedi malu: 'Busnes fel arfer. Dydyn ni DDIM yn ffasgwyr, ddim nawr, ddim byth.'

Gwelais bobl yn stopio a darllen yr arwydd, cyn i chwilfrydedd fynd yn drech na nhw.

'Beth ddigwyddodd i Vito, 'te?'

'Ble ma nhw wedi mynd â fe?'

'Dwli, dyna yw hyn.'

Fe ddysgais i fod Eidalwyr ar hyd a lled Prydain wedi'u carcharu. Doedd rhai heb gael eu harestio, am eu bod nhw wedi'u gwneud yn ddinasyddion Prydeinig – felly fe gawson nhw lonydd.

Fe adawodd Papà yr Eidal gan nad oedd gwaith yno a gan eu bod nhw'n ei chael hi'n anodd cael dau ben llinyn ynghyd, felly fe ddaeth i Brydain. Ond bellach roedd e wedi'i garcharu a ninnau'n brwydro i oroesi, unwaith eto.

Roedd hi'n anodd cael gafael ar wybodaeth, ond o'r diwedd fe gawson ni wbod fod Papà a Mario wedi'u cymryd i'r barics yng Nghaerdydd a'u bod nhw'n cael eu gwarchod – mewn gwersyll-garchar, am wn i. Roedd yr holl beth yn hurt. Yn wallgof.

Penderfynais ofyn am swyddi yn y dref, er mwyn ennill ychydig mwy o arian. Fe drodd y rhan fwya o bobl eu trwynau arna i, ond, diolch byth, fe roddodd Mr Lewis y cigydd waith i fi ambell fore'r wythnos tra bod Mamma a Zia yn gofalu am y caffi.

Roedd hynny'n gam dewr o ran Mr Lewis. Roedd e'n cofio bod Papà wedi rhoi tipyn o fusnes iddo fe ond hyd yn oed wedyn, roedd e'n mynd yn erbyn y llif.

Ychydig yn ddiweddarach, pan o'n i allan yn dosbarthu cig ar ei ran e, fe arhosodd Joni Corbett amdana i mewn ali gefn. Safai yno'n gwenu.

'Sut mae'n mynd, Adolf?' gofynnodd.

Do'n i ddim yn ofnus ar y pryd, ynghanol popeth arall oedd yn digwydd. Doeddwn i ddim yn yr hwyl i wrando ar ei gellwair e.

'Dw i'n gweld i chi gael ychydig o drafferth gyda ffenest y caffi?' medde fe.

'Ti wnaeth?' gofynnais.

'Fi? Na. Ond does dim croeso i chi Eidalwyr yma – ewch 'nôl at Mussolini.'

'Fe ges i fy ngeni 'ma.'

'Ti'n Gymro, wyt ti?' Daeth yn agos at fy wyneb i. 'Dwed dy fod di'n caru Cymru ac yn casáu'r Eidal, 'te.'

'Dw i'n caru Cymru,' medde fi, 'a dw i'n caru'r Eidal. Dy'n ni heb wneud unrhyw beth o'i le.'

'Rwyt ti'n ffasgydd ac yn cefnogi Hitler.'

Bydde fe a'i griw wedi ymosod arna i, ond ar yr eiliad honno fe agorodd Mrs Jones ei drws cefn. 'Helô, Joni,' medde hi. 'Sut ma dy fam?'

Ro'n i'n gallu gweld bod Joni'n teimlo cywilydd. 'Iawn, Mrs Jones,' medde fe.

'Falch o glywed. Ti'n meddwl y bydde hi'n falch dy glywed di'n galw Beppe yn ffasgydd?'

Cododd Joni ei ysgwyddau.

'O'r gorau. Beth am i ni fynd, 'te? Beth am i ni fynd i'w gweld hi nawr?' Edrychodd Mrs Jones ar y lleill. 'A beth amdanoch chi, fechgyn? Dw i'n nabod eich mamau chi i gyd. Fe ddwedwn ni wrthyn nhw hefyd, tra bo' ni wrthi, ie? Gyda'r holl bethe sy'n digwydd yn y byd 'ma ar hyn o bryd fe ddyle fod cywilydd arnoch chi. Ewch. Bant â chi!'

Fe aethon nhw â'u cynffonnau rhwng eu coesau.

'Diolch, Mrs Jones,' medde fi, gan lwyddo, o drwch blewyn, i rwystro'r dagrau rhag dod. Fe ofynnodd hi ar ôl Mamma a dymuno dychweliad buan i Papà. Roedd hi'n angel.

Dyna'r cyfan am y tro, Joe."

Daeth y tâp i ben. Edrychodd Joe ar Mimi.

"Mae'n gwneud i fi deimlo'n rhyfedd," meddai hi.

"Beth ti'n feddwl?"

"Wel, y caffi 'ma – popeth ddigwyddodd, reit fan hyn."

Nodiodd Joe. "Ie, dw i'n gwbod. Stafell Nonno oedd hon bryd hynny."

Meddyliodd am yr hanes rhwng y waliau, fel pe bai'r gorffennol reit o flaen ei lygaid. "Tybed pwy oedd Mrs Jones?" meddai, gan syllu i lygaid tywyll Mimi. "Ma'n rhaid ei bod hi'n fam neu'n fam-gu i rywun, yn tydy? Fel ma Nonno yn dad i fy mam i."

"Galli di ddod o hyd i'r ateb i hynny," meddai Mimi.

"Sut?"

"Trwy ofyn i Nonno."

DAU DDEG PUMP

Roedd y gwynt yn rhewllyd.

Roedd Joe'n hynod ymwybodol o'r ffaith fod ei fol yn gwthio'i grys rygbi reit allan, ac, yn ei feddwl ef, roedd cael ei orfodi i sefyll ar y cae mwdlyd yn greulon.

"Ma hi mor oer," meddai Mimi gan rwbio'i breichiau.

Dim ond nodio allai Joe wneud. Roedd e'n poeni y byddai ei ddannedd yn clecian pe bai'n ceisio siarad. Roedd Combi'n sefyll ar yr ystlys yn ymyl Mimi, wedi'i wisgo mewn cot enfawr ac yn bwyta bar o siocled. "Dw i'n meddwl y byddwn i'n dda am chwarae rygbi," meddai. "Craidd disgyrchiant da, ti'n gweld."

Clensiodd Joe ei ên a syllu arno.

Roedd Bonner wrthi'n gwneud ymarferion cynhesu ac anadlu. Yna cododd ar ei draed a gwenu ar Mimi.

"Dwyt ti ddim yn oer?" gofynnodd hi.

"Dw i ddim yn teimlo'r oerfel," meddai Bonner. Tapiodd ei ben. "Dw i'n ei gau e mas."

Byddai Joe wrth ei fodd pe gallai gau'r holl brofiad mas.

"Reit!" gwaeddodd Mr Hywel, yr hyfforddwr. "Dewch i ni gael cynhesu trwy sbrintio at y pyst lliwgar ac yn ôl."

Gallai Joe deimlo'r aer rhewllyd yn torri trwodd i'w ysgyfaint wrth iddo redeg.

"Ac eto!" gwaeddodd Mr Hywel.

Roedd Joe dal wrthi'n rhedeg yn ôl pan ruthrodd y lleill tuag ato ar eu hail lap. Roedd e mor fyr ei anadl pan stopiodd fel na lwyddodd i ymateb i wên lawn cydymdeimlad Mimi, hyd yn oed.

"Ti'n iawn, Joe?" gofynnodd Mr Hywel.

Nodiodd Joe.

"Ry'n ni'n mynd i wneud ychydig o ymarfer sgrym nawr," meddai. "Dw i am dy drio di yn y rhes flaen."

Roedd Joe'n poeni mwy am y ffaith fod Bonner yn siarad â Mimi ar yr ystlys. "Dere 'mlaen," clywodd e'n dweud wrthi â'i ddwylo ar ei wast. "Teimla fy stumog i – ma fe fel wal frics."

"Dw i'n siŵr," meddai Mimi. "Joe! Wyt ti'n iawn?"

"Ydw," atebodd Joe, a'i wynt yn ei ddwrn o hyd.

"Dwyt ti ddim yn edrych yn iawn," meddai Combi, gan wthio darn ola'r bar siocled i'w geg.

Galwodd Mr Hywel bawb ynghyd i lunio'r sgrym ac ymunodd Joe â'r chwaraewyr eraill yn y rhes flaen. Safodd pawb mewn llinell a lapio'u breichiau o gwmpas ysgwyddau'i gilydd; yna dyma nhw'n plygu drosodd er mwyn wynebu'r chwaraewyr gyferbyn â nhw.

"Sodrwch eich traed," meddai Mr Hywel. "Fel trawstiau dur. Yna, pan fydda i'n dweud 'gosod', gwthiwch fel be bai eich pen-ôl ar dân."

Gallai Joe deimlo ysgwyddau'r chwaraewyr y tu ôl iddo yn erbyn ei ben-ôl. Gallai swynhwyro fod rhywbeth gwael ar fin digwydd.

"Plygu ... Clymu ... GOSOD!"

Hyrddiodd pawb ymlaen a clywyd sŵn crensian. Teimlai Joe fel pe bai wedi disgyn o adeilad uchel ac wedi taro'r ddaear â'i ben yn gyntaf. Roedd wedi'i wasgu'n sownd rhwng pennau'r chwaraewyr a'i wynebai. Clywyd sŵn chwyrnu a grwgnach a dechreuodd Joe snwffian crio wrth syllu ar y ddaear oddi tano.

Roedd y pwysau, ar y tu blaen a'r tu ôl, yn annioddefol. Pwysau gorthrymol, didrugaredd, fel pe bai'n cael ei wasgu rhwng dau eliffant.

Pan gwympodd y sgrym, trawodd pen Joe y ddaear, gan wasgu i mewn i'r mwd. Disgynnodd cyrff yn bentwr ar ei ben. Roedd ei freichiau wedi'u cloi o amgylch y chwaraewyr y naill ochr iddo o hyd, a fedrai e ddim anadlu.

Dw i'n mynd i farw, meddyliodd.

Dychmygodd Mimi yn ei angladd, wedi'i gwisgo mewn du ac yn edrych yn brydferth, Mam a Dad yn crio, a Combi'n bwyta bynsen gyrens. Yna gwelodd Mimi'n briodferch hardd, a theimlodd yn gynnes ac yn braf. Cymerodd rhywun ei llaw gan lithro modrwy ar ei bys.

Bonner.

O, naaaa.

Clywodd Joe symbalau'n atseinio a drymiau'n diasbedain. Gwelodd len felfed ac aur enfawr yn cau o'i flaen, fel ar ddiwedd opera – yna aeth popeth yn ddu.

DAU DDEG CHWECH

Pan agorodd Joe ei lygaid roedd Mam a Dad yn edrych arno o waelod y gwely. *Ma golwg ddifrifol arnyn nhw,* meddyliodd. *Rhaid 'mod i'n reit wael.*

Cododd ei fraich.

"Beth wyt ti eisie, cariad?" gofynnodd Mam.

"Jest eisie gweld os … os yw 'mraich i'n dal yn gweithio," sibrydodd Joe.

"Ma dy gorff di i gyd yn gweithio, Joe. Fe lewygaist ti – does dim niwed wedi'i wneud."

"Dim niwed!" ebychodd Joe. "Fe ges i 'ngwasgu i farwolaeth!"

"Ma'n flin 'da fi, Joe," meddai Mam. "Falle nad

112

rygbi oedd y peth iawn i drio."

Beth fyddai'r peth iawn i drio? pendronodd Joe, ond penderfynodd beidio â gofyn. "Ers sawl diwrnod ydw i wedi bod 'ma?"

"Sawl diwrnod?" meddai Mam. "Joe. Fe lewygaist ti am rai eiliadau ac fe aethon nhw â ti i'r adran ddamweiniau. Byddi di'n hollol iawn."

"Pan ddaethon ni i dy gasglu di, roeddet ti'n mwmian rhywbeth ynglŷn â phriodas Bonner."

"Oeddet," meddai Mam. "Am beth roedd hynna i gyd?"

"Sut ma Mimi?" gofynnodd Joe er mwyn osgoi'r cwestiwn.

"Ma hi'n iawn," meddai Mam. "Doedd hi ddim yn y sgrym, Joe."

"Hynny yw, sut ma hi ar ôl y sioc?"

"Pa sioc?"

Gwelodd Joe Mam a Dad yn edrych ar ei gilydd.

"Y sioc o 'ngweld i'n cael fy ngwasgu i farwolaeth," meddai.

"Roedd hi wedi'i dryllio, Joe," meddai Mam. "Yn cerdded yn ôl ac ymlaen, yn gwasgu'i dwylo. Fel rhywbeth o opera. Ma hi i lawr yn y gegin nawr, yn coginio cawl arbennig i ti."

"Cawl arbennig?"

"Ie, ar gyfer pobl sydd wedi cael profiadau agos-at-farw."

"O, 'na garedig ohoni."

"Fe fuodd hi'n gweld Nonno, hefyd," meddai Dad. "Ac fe roddodd e dâp arall iddi." Amneidiodd at y recordydd tâp ar y ddesg.

"O, da iawn," meddai Joe. "Fe ddylet ti wrando arnyn nhw, Mam."

"Dw i'n gwbod y stori," meddai Mam. "O, ac ma 'na newyddion – ma Mr Malewski wedi gwneud cynnig i ni am y caffi."

"Mr Malewski?"

"Yn ôl y sôn ma fe'n awyddus i'w droi e'n fwyty."

"Bwyty! Ond ma gyda fi syniadau, Mam!" meddai Joe.

"Ma ambell un 'da fi hefyd, ond dwi'n amau y byddwn i'n cael fy arestio. Drycha, dw i ddim wedi derbyn y cynnig – fydd pobl rownd ffordd hyn ddim yn diolch i fi am adael iddyn nhw gymryd drosodd yn y dre 'ma, ond ma fe'n gynnig."

Cafwyd cnoc ar y drws a daeth Mimi i mewn yn cario hambwrdd.

Gwenodd Joe arni. Edrychai hyd yn oed yn fwy prydferth, rywsut. *Yn iach yr olwg*, meddyliodd Joe. Yna gwelodd Combi yn ei dilyn hi. "Iawn, Joe? Dw i wedi dod â gêm *Lladdwr Sombis* i ti."

Byddai'n well o lawer gan Joe fod ar ei ben ei hun gyda Mimi, a doedd e'n sicr ddim yn yr hwyl i ladd sombis. Dechreuodd Combi osod yr Xbox yn barod wrth i Mam a Dad adael.

Blasodd Joe y cawl. Roedd e'n hyfryd. "*Grazie*," meddai. "*Stupendo*."

"*Prego*," meddai Mimi wrth eistedd ar waelod y gwely.

"Tamed mwy o fasil, falle," ychwanegodd Joe.

Edrychodd Mimi arno, a gwenodd Joe.

"Wyt ti wedi chwarae *Lladdwr Sombis*, Mimi?" gofynnodd Combi.

"Na. Dw i ddim yn chwarae gemau fel hyn."

Rholiodd Joe ei lygaid er budd Mimi. Rhoddodd ei fysedd ynghyd, yn barod i chwarae'r gêm, ond roedd Combi eisoes yn estyn y blwch rheoli iddi. "Dw i wedi'i osod e ar lefel 'hawdd'."

Ni helpodd sgrechfeydd, ergydion na sŵn y gêm i leddfu dim ar y boen ym mhen Joe, a oedd yn parhau i guro fel gordd.

"Aaaa, ti wedi fy lladd i!" meddai Combi.

"Pe bai hynny ond yn wir …" mwmialodd Joe. Edrychodd ar y recordydd tâp a phenderfynu gwisgo clustffonau er mwyn gwrando ar y tâp.

Yn lle synau annifyr y gêm clywodd lais meddal, cynnes Nonno.

"*Fe weithiais i'n galetach fyth ar ôl i Papà a Mario gael eu cymryd i ffwrdd. Un diwrnod daeth dyn ifanc i mewn i'r caffi. Gofynnodd am gael sgwrs breifat* â ni. *Roedd e'n fab i un o'n cymdogion Eidalaidd ni, Domenico Zecchini. Wel, roedd y bachgen yma, Lou Zecchini, wedi'i eni yng Nghymru fel fi, ac roedd wedi'i alw i ymuno â'r fyddin. Roedd e'n un o'r milwyr yn y barics yng Nghaerdydd oedd yn gwarchod yr Eidalwyr a garcharwyd.*

'Ma'r carcharu yma'n wallgo,' medde Lou. 'Cafodd fy nhad ei arestio a'i garcharu yn y barics, felly nawr dw i'n ei warchod e – fy nhad fy hun! Dyw'r peth ddim yn gall. Ond does dim hawl gyda fi i ddweud unrhyw beth gan fy mod i yn y fyddin.'

Trawodd ei ddyrnau yn erbyn y bwrdd. Roedd e mor grac.

Roedd e wedi dod â neges i ni oddi wrth Papà a Mario. Roedden nhw'n cael eu trin yn dda ac yn mynd i gael eu symud cyn hir, ond doedden nhw ddim yn gwbod i ble.

Fe gymerodd Lou risg enfawr wrth ddod â'r neges i ni.

'Beth pe bawn i'n trio dod i Gaerdydd?' gofynnais. 'Wyt ti'n meddwl y gallwn i weld Papà?'

Ysgydwodd Lou ei ben. 'Dydyn nhw ddim yn caniatáu ymwelwyr.' Yna cafodd syniad. 'Ma 'na ochr arall i'r gwersyll sydd ymhell oddi wrth yr heol. Ma'r dynion yn cael mynd allan yno rhwng un ar ddeg a deuddeg o'r gloch. Gallwch chi siarad trwy'r ffens weiar. Fe rodda i wbod iddyn nhw ar y diwrnod y byddi di yno, ond os cei di dy weld gan unrhyw un o'r gards byddan nhw'n dy anfon di o 'na.'

Y noson honno, aeth Mamma a Zia ati i baratoi bwyd ac ychydig o win yn y gobaith y gallwn i eu pasio nhw i Papà a Mario. Ysgrifennodd Mamma a fi lythyr at Papà ac ysgrifennodd Zia un at Mario.

Y diwrnod wedyn cyrhaeddais orsaf Caerdydd a cherddais i farics y fyddin rai milltiroedd oddi yno. Roedd y bwyd gen i mewn bag dyffl. Roedd pâr o bleiers gen i yn fy mhoced hefyd, oedd braidd yn wirion, ond os oedd Papà eisie dianc yna ro'n i am ei helpu fe.

Pan gyrhaeddais y barics edrychais ar fy oriawr – ro'n i'n gynnar. Gallwn weld y gards wrth y giatiau ond allwn i ddim gweld Lou. Felly cerddais rownd i'r ochr bellaf ac aros y tu ôl i goeden. Ro'n i'n crynu gan nerfusrwydd. Roedd platŵn o filwyr allan yn ymarfer a sarjant yn gweiddi cyfarwyddiadau arnyn nhw. Dw i'n dal i allu clywed sŵn crensian eu sgidiau nhw ar y tarmac.

Am un ar ddeg o'r gloch ar y dot gwelais griw o ddynion yn cael eu harwain allan i'r iard. Dyma nhw'n crwydro o gwmpas, gyda'r gards yn gwylio pob symudiad. Fe welais i Papà a Mario yn syth. Ro'n i'n nabod y ffordd y cerddai Papà, â'i ddwylo y tu ôl i'w gefn, fel pe bai'n cymryd passeggiata. Ma'n rhaid bod Lou wedi siarad â nhw achos ro'n nhw'n chwilio amdana i. Es i lan at y ffens. Wrth gwrs, do'n i ddim am gael fy ngweld felly'r cwbl wnes i oedd codi un fraich gan obeithio y bydden nhw'n fy ngweld i. Fe wnaethon nhw, ac fe ddaethon nhw ata *i'n araf bach. Fe wnes i 'ngorau i rwystro'r dagrau rhag dod achos ro'n i'n gwbod nad oedd gyda ni lawer o amser. Gorfodais fy hun i wenu wrth iddyn nhw ddod tuag at y ffens.*

'Ciao, *Papà.*'

'Ciao, *Beppe.*'

Ceisiais roi'r bwyd trwy'r ffens ond roedd y salami a'r gwin yn rhy fawr.

'Sut ma Mamma?' *gofynnodd Papà.*

'Ma hi'n weddol, ond does neb yn dweud unrhyw beth wrthon ni.'

Nodiodd Papà. 'Ma nhw'n ein symud ni.'

'I ble?'

'Lerpwl. Ma nhw'n ein hanfon ni i ffwrdd, ar long.'

Fe driais i siarad, ond agorodd Papà ei lygaid led y pen. 'Gwranda! Ma nhw'n ein hanfon ni'n dau i Ganada. Bydd yn rhaid i ti edrych ar ôl popeth, Beppe. Ti yw'r bos.'

'Ond pam Canada?'

'Ma nhw'n meddwl ein bod ni'n estron-elynion ac y byddwn ni'n ddigon pell i ffwrdd yng Nghanada. Bydda i 'nôl, Beppe. Dw i'n addo.'

Estynnais y llythyron oddi wrth Mamma a Zia iddo trwy'r ffens, ac yna clywais sŵn gweiddi. Roedd milwr yn rhedeg tuag aton ni. Rhoddodd Papà 'i fysedd trwy'r ffens. Daliais ynddyn nhw'n dynn a dechrau llefen.

118

'Cer i ffwrdd o'r ffens 'ma!' meddai'r milwr.

'Dw i'n siarad gyda fy mab!' Roedd llais Papà yn galed a thywyll, a chamodd y milwr 'nôl. 'Paid â bod ofn,' medde Papà wrtha i. 'Un diwrnod byddwn ni'n chwerthin am hyn.' Gwenodd, ond nid ei wên arferol. Roedd fel pe bai'n ofnus, a doeddwn i erioed wedi'i weld e'n ofnus o'r blaen. Cofiais am y salami a'r gwin, ac ymbiliais ar y milwr. 'Wnewch chi fynd â'r rhain iddyn nhw? Plis?'

Edrychodd y milwr o'i gwmpas. 'Tafla nhw dros y ffens a cer ar unwaith.'

Taflais y salami a'r gwin dros y ffens, ac fe ddenodd hynny sylw'r Eidalwyr eraill. 'Cer,' meddai Papà. 'Cer 'nôl i'r caffi. Bacio per Mamma.'

Cerdded i ffwrdd oddi wrth y ffens 'na yw'r peth mwya poenus i fi ei wneud yn fy mywyd. Roeddwn i'n methu credu bod popeth wedi troi mor wael mewn cyfnod mor fyr. Ro'n i'n casáu'r Prydeinwyr ac yn casáu'r Eidalwyr am ymuno â Hitler. Dw i erioed wedi teimlo mor grac, nac mor ofnus, a doedd gen i ddim syniad a fyddwn i'n gweld Papà eto.

Fe rodda i'r gorau iddi am nawr, Joe."

Roedd pethau'n mynd o ddrwg i waeth i Nonno, ac roedd anfon Eidalwyr i Ganada yn wallgof. Sylweddolodd Joe fod Nonno'n rhedeg y caffi pan

oedd e'n ddim hŷn na Joe ei hun. Teimlai'n rhyfedd –
yn anesmwyth, braidd, ac yn ofnus. Meddyliodd am
yr hyn ddywedodd Nonno ynglŷn â phopeth yn troi'n
wael mor sydyn.

"Ma amser yn werthfawr," meddai'n uchel.

Trodd Mimi i ffwrdd oddi wrth y gêm fideo a
gwenu.

"Pum deg saith o sombis – dyna faint laddais i, Joe,"
meddai Combi. "Ti eisie gêm?"

Cododd Joe a cherdded draw at ffenest yr ystafell
wely.

"Ti'n iawn, Joe?" gofynnodd Mimi.

"Dw i'n iawn." Syllodd Joe i lawr ar Emporiwm
Mr Malewski. Gallai'r caffi gael ei werthu i rywun a
fyddai'n ei droi yn fwyty, ac yn mynd ag e oddi ar
deulu Joe am byth. "Fy nghyfrifoldeb i yw hyn nawr."

DAU DDEG SAITH

Sleifiodd Joe allan heb ddweud wrth unrhyw un. Doedd ganddo ddim syniad beth fyddai'n ei ddweud wrth Mr Malewski ond roedd e eisiau mynd 'run fath.

Roedd y siop yn brysur ac roedd Joe'n difaru na ofynnodd i Mimi ddod gydag ef. Crwydrodd i lawr yr eil gan edrych ar y cynnyrch. "Oeddet ti'n hoffi'r selsig 'na, Joe?" gofynnodd Marta. "Beth am drio un gwahanol?"

"Na, dim diolch," meddai Joe. "Pam bod dy dad di eisie prynu fy nghaffi i?"

"Er mwyn agor bwyty. Busnes da," atebodd hithau. "Falle, ryw ddiwrnod, bydda i'n berchen ar dy gaffi di yn ogystal â'r Emporiwm." Chwarddodd Marta – rhywbeth y gwnâi braidd yn rhy aml, ym marn Joe.

Cerddodd Mr Malewski atyn nhw, ynghyd â Dariusz, a gariai goes cig oen dros ei ysgwydd. Teimlai Joe fel pe bai wedi'i amgylchynu. "Pam na brynwch chi un o'r siopau eraill er mwyn agor bwyty?"

"Dim cegin," meddai Dariusz. "Ma cegin gyda chi, a byrddau a chadeiriau – bwyty. Popeth yn ei le'n barod. Ble ma Mimi?"

"Yn y caffi," meddai Joe.

"Oes cariad gyda hi?" gofynnodd Dariusz, gan syllu arno â'i lygaid glas dwys.

Cododd y cwestiwn wrychyn Joe. Tynnodd gorneli ei geg i lawr a chodi'i ysgwyddau ar yr un pryd. Fe weithiodd ac fe deimlai'n naturiol.

"Yw dy fam wedi derbyn fy nghynnig i eto, Joe?" gofynnodd Mr Malewski.

"Peidiwch â phrynu'r caffi, plis," meddai Joe.

Gwgodd Mr Malewski. "Pam?"

"Dydy pobl ddim yn bwyta mas y dyddie 'ma. Ddim rownd ffordd hyn," meddai Joe, gan ddefnyddio dadl Mam ei hun.

"Rwy'n anghytuno," meddai Mr Malewski. "Pan ma pobl oddi cartre ma nhw'n dod at ei gilydd. Byddwn ni'n coginio bwyd i bobl o Wlad Pwyl, Rwsia, ac ati, ac ati. Busnes da."

"Busnes da," ailadroddodd Marta.

Trwy ffenest y siop gwelodd Joe y caffi ar draws y ffordd. Roedd ar gau ac edrychai mor drist. Dychmygodd sut y byddai'n edrych wedi'i oleuo'n llachar, yn llawn pobl yn bwyta ac yn codi'u gwydrau. "Pam na wnewch chi dreialu'r syniad?" meddai.

"Treialu?"

"Defnyddio'r caffi am un noson. Coginio prydau bwyd ar gyfer y Pwyliaid, neu pwy bynnag a … gallwch chi ein talu ni am gael defnyddio'r caffi."

Edrychodd Mr Malewski ar Dariusz, ac yna yn ôl ar Joe. "Na."

"Arhoswch, arhoswch," meddai Marta. "Mae e'n syniad da – trio cyn prynu!"

Siaradodd Mr Malewski â Dariusz mewn Pwyleg. Ysgydwodd Dariusz ei ben. Siaradodd Marta â'r ddau, gan ysgwyd ei dwylo er mwyn denu'u sylw. Trodd at Joe. "Faint hoffet ti am adael i ni ddefnyddio dy gaffi di am un noson?"

Doedd gan Joe ddim syniad, ond clywodd ei hun yn dweud, "Pum deg y cant o'r elw."

Roedd y peth mor rhyfedd – fe siaradodd â'r fath hyder.

"Pum deg y cant! Gormod," meddai Mr Malewski.

"O'r gorau. Chwe deg – pedwar deg," cynigiodd Joe.

"Chwe deg pump, tri deg pump," atebodd.

Gwnaeth Joe yr ystum llaw o dan drwyn Mr Malewski. "Os prynwch chi'r caffi bydd yn rhaid i chi wario lot fawr o arian," meddai. "Fel hyn dydych chi ddim yn colli."

"Ac fe helpa i i goginio."

Trodd Joe a gweld Mimi.

"O'r gorau," meddai Mr Malewski. Poerodd ar ei law a'i hestyn ato.

Ych a fi, meddyliodd Joe, ond ysgydwodd ei law, ac fe gymeradwyodd Marta.

"Dwyt ti ddim o ddifri?" meddai Mam wrth sefyll yn y lolfa gyda Dad.

"Syniad gwych!" meddai Mimi.

Gwnaeth Joe yr ystum gyda'i law. "Allwn ni ddim colli. Bydd Mr Malewski a'i fab yn darparu'r bwyd ac yn ei goginio, a byddwn ni'n cael pedwar deg y cant o'r elw."

Roedd Mam yn syllu ar ei law. "Sut ydyn ni'n gwbod y bydd e'n rhoi pedwar deg y cant i ni?"

"Fe wnewn ni'n siŵr," meddai Mimi. "Fe wnewn ni ddarganfod faint mae e'n godi am y bwyd a faint sy'n dod i fwyta yno." Pwyntiodd at ei llygad chwith â'i bys. "Fe wylia i nhw."

"Fe ddylset ti fod wedi gofyn i fi, Joe," meddai Mam.

"Sorri," meddai Joe. "Ond allwn ni roi tro ar y syniad? Plis!" Gwnaeth yr ystum â'i ddwylo eto. "Ma fe'n arian am ddim."

Teimlodd Mam ei dalcen. "Sut wyt ti'n teimlo, Joe?"

"Yn well nag erioed," atebodd Joe.

DAU DDEG WYTH

Drannoeth aeth Joe i weld Nonno yn yr ysbyty ac esbonio ynglŷn â phrydau bwyd nos y Malewskis yn y caffi.

"Chwe deg – pedwar deg, ddwedest ti?" gofynnodd Nonno.

"Ie," meddai Joe.

"Sawl noson?"

"Un hyd yn hyn – noson Bwylaidd ... ar gyfer pobl o Wlad Pwyl."

"A beth oedd dy fam yn feddwl?"

"Doedd hi ddim yn hollol hapus," meddai Joe. "Ond os bydd y noson yn llwyddiant yna falle na fydd angen i Mr Malewski brynu'r caffi, yn na fydd? Fe allai ddefnyddio'r caffi gyda'r nos yn unig."

"Falle," meddai Nonno. "Sut wyt ti'n teimlo?"

"Yn iawn ... dw i wedi bod yn aros i ofyn i ti," meddai Joe. "Pwy oedd Mrs Jones, ti'n gwbod, yr un wnaeth dy achub di rhag Joni Corbett yn yr ali gefn?"

Roedd hanner gwên Nonno'n fwy, fel pe bai'r cyhyrau yn ei wyneb yn cryfhau. "Roedd hi'n hyfryd, Joe. Roedd ganddi ferch hyfryd, hefyd – Gwen."

"Ein Gwen ni?"

"Ie."

"Ydy hi'n gwbod bod ei mam hi wedi dy achub di y tro hwnnw?"

"Doedd hi heb gael ei geni bryd hynny, hyd yn oed, Joe."

"Ond byddai'n braf dweud wrthi."

Dechreuodd Nonno fwyta'r bwyd a thrawyd Joe â syniad. "Pwy ddysgodd ti i goginio, Nonno?"

"Papà a Mamma."

"Dydy Mam ddim yn coginio rhyw lawer, nagyw?" meddai Joe.

"Na."

"Pam?"

"Ma hi'n fy ngadael i i wneud," meddai Nonno. "Dw i'n hoffi coginio."

"Ro'n i'n sôn wrth Mimi am dy *lasagne* di," meddai

Joe. "Dw i eisie'i goginio fe rhyw dro."

"Ti'n hoffi Mimi, yn dwyt?" meddai Nonno.

Byddai Joe wrth ei fodd pe gallai stopio'r gwaed rhag llifo i'w fochau.

* * *

Pan gyrhaeddodd Joe yn ôl i'r caffi roedd rhes o fechgyn yn sefyll yn erbyn y ffenest. Roedden nhw'n dal eu dwylo at eu llygaid er mwyn gweld y tu mewn.

Wrth iddo gerdded i mewn i'r caffi, dywedodd Mam, "Wnei di gael gair gyda dy ffrindiau ysgol, Joe? Ma nhw'n glafoerio'n gegagored dros wydr y ffenest – ma nhw'n troi'r cwsmeriaid oddi ar eu bwyd, a dydyn nhw ddim yn chwilio am ddiod boeth, chwaith, os ti'n deall be dw i'n feddwl."

Daeth Mimi i mewn i'r caffi o'r gegin. "Helô, Joe."

Atseiniodd cloch drws y caffi wrth i haid o fechgyn ruthro i mewn a gweiddi archebion diodydd. Gwthiodd Combi i'r blaen. "Iawn, Mimi?"

"Nawr 'te, fechgyn!" gwaeddodd Mam. "Un ar y tro, plis."

Ceisiodd Joe eu gwthio nhw yn ôl, fel blaenwr mewn gêm rygbi.

"'Nôl â chi, y RABSGALIWNS!" gwaeddodd Bonner a safai wrth y drws.

Distawodd y bechgyn a chamu'n ôl.

"Diolch, Bonner," meddai Joe.

"Dal yn fyw, dw i'n gweld?" meddai Bonner, gan roi slap i Joe ar ei ysgwydd. "Ddim cweit yn addas i fod yn chwaraewr rygbi. Ti angen corff fel fy un i, ti'n gweld."

Cerddodd at Mimi. "Prynhawn da, ferch brydferth."

Chwarddodd Mimi. "*Grazie.*"

"Dw i wedi dod i dy wahodd di i swper," meddai Bonner. "Yn fy nghartre i. Mam sy'n coginio."

Dechreuodd Joe gynhyrfu, a theimlodd Combi'n ei brocio yn ei asennau.

"Allith hi ddim," meddai Joe.

Trodd Mimi i edrych arno.

"Pam?" gofynnodd Bonner.

"Ma hi ... ma hi'n helpu Mr Malewski i goginio."

"Pryd?"

"Dydd Iau," meddai Joe.

"Fory ro'n i'n feddwl," meddai Bonner.

"O'r gorau," meddai Mimi.

Roedd Bonner yn wên o glust i glust. "Fory amdani. Reit, fechgyn – y Cwt Ffowls – bant â ni!"

Prociodd Combi Joe eto wrth i'r bechgyn ddilyn Bonner allan.

"Wnei di stopio 'mhrocio i," meddai Joe.

"Wel, ma'n rhaid i ti wneud rhywbeth," sibrydodd Combi.

"Fel be?"

"Dy gyfnither di yw hi – ma'n rhaid i ti ei gwarchod hi."

Am eiliad, dychmygodd Joe ei hun fel y tenor arwrol mewn opera, ei gleddyf wrth ei ochr, yn wynebu Bonner a oedd wedi'i wisgo mewn dillad du ac wedi tyfu locsyn.

"Fe ddilyna i fe i'r Cwt Ffowls," meddai Combi, "i weld be wela i."

"Gwna di hynny," meddai Joe. "Mwynha'r bwyd seimllyd."

"Cenfigennus?" meddai Combi wrth gerdded allan o'r caffi.

DAU DDEG NAW

Eisteddodd Joe gyda Mimi i wrando ar y tâp newydd gan Nonno.

"Wyt ti wir eisie mynd draw i dŷ Bonner i gael swper?" gofynnodd.

"Ydw. Dw i'n hoffi trio gwahanol fwydydd a dulliau o goginio, Joe!"

"Hoffet ti i fi ddod gyda ti?"

"Na, mae'n iawn."

Dychmygodd Joe Mimi a Bonner yn eistedd wrth fwrdd wedi'i oleuo â golau cannwyll. Cwynodd ei stumog, yna cafodd ei dawelu gan sŵn llais Nonno.

"Y diwrnod y clywon ni, ro'n i'n sefyll y tu ôl i'r cownter, fel arfer, gyda Mamma a Zia. Y trydydd o Orffennaf un naw pedwar deg oedd hi. Rhuthrodd Lou i mewn i'r caffi, â golwg wyllt yn ei lygaid. 'Glywsoch chi?'

'Beth?' gofynnodd Mamma iddo.

'Cafodd y llong ei suddo.'

'Pa long?'

'Y llong oedd yn cario'r Eidalwyr i Ganada. Wedi'i tharo gan dorpido.'

Dechreuodd Mamma lefen.

'Dy'n ni ddim yn gwbod bod Papà arni,' medde fi. 'Dy'n ni ddim yn gwbod unrhyw beth.'

Ysgydwodd Lou ei ben. 'Dim ond un llong oedd yn mynd â charcharorion rhyfel i unrhyw le – yr Arandora Star.'

Roedd e yn llygad ei le. Cafodd yr Arandora Star *ei suddo gan long danfor Almaenig wrth iddi hwylio o Lerpwl i Ganada. Chawson ni ddim cadarnhad am beth amser, ond o'r diwedd fe glywson ni fod Papà a Mario ar fwrdd y llong. Cofiais am Papà yn edrych arna i trwy'r ffens weiar 'na yn y barics. Daliais y llun hwnnw ohono yn fy mhen, a dw i'n cofio meddwl mai dyna'r tro olaf y byddwn yn ei weld. Dim ond wedyn y clywson ni fod rhai wedi goroesi; ond pwy oedd wedi goroesi, a faint, wydden ni ddim.*

Wrth i'r newyddion ledaenu, dechreuodd pobl a

gefnodd arnon ni ddychwelyd er mwyn ymddiheuro. Ro'n i mor grac – roedd fel pe bai'r Eidalwyr yn cael maddeuant nawr o achos yr eironi i'r llong gael ei suddo gan dorpido Almaenig.

Y cyfan allen ni ei wneud oedd aros yn amyneddgar i glywed a oedd Papà a Mario'n fyw neu'n farw ..."

Stopiodd Joe y tâp. Roedd e mewn sioc llwyr.

"Ma hynna'n ofnadwy," meddai Mimi. "Eu hanfon nhw i ffwrdd ac yna ..."

"Cael eu suddo. Gan dorpido," meddai Joe. Pwysodd y botwm chwarae er mwyn clywed y gweddill.

"Un diwrnod daeth PC Williams i'r caffi yn cario sach. Roedd yn llawn arian – cyfraniadau gan bobl er mwyn i ni drwsio'r ffenest. Dechreuais i weiddi ynglŷn â'r ffaith y gallai Papà fod wedi marw ac na chawson ni fawr ddim cydymdeimlad pan gafodd ei arestio, dim ond brics trwy'r ffenest. 'Arian euogrwydd yw e,' medde fi. Cymerodd Mamma'r arian oddi wrtho gan ddweud ei fod yn syniad caredig.

Y diwrnod wedyn daeth swyddog o'r fyddin i mewn gyda PC Williams. Roedd golwg o ddifri arnyn nhw. Daliais fy ngwynt. Fe ddywedon nhw fod Papà wedi cael ei achub o'r môr a'i gymryd yn ôl i Lerpwl, ond nad oedd sôn am Mario. Dechreuodd Zia lefen, a Mamma hefyd, ond ro'n i mor falch. Ro'n i'n teimlo trueni dros Zia, wrth gwrs, ond roedd Papà yn dal yn fyw.

'Ma 'na rywbeth arall,' meddai PC Williams.

'Beth?'

'Pan ddaethpwyd â dy dad 'nôl i'r porthladd cafodd ei garcharu unwaith eto—'

'Beth? Ma nhw'n mynd i'w carcharu nhw o hyd – hyd yn oed ar ôl hyn?'

'Beppe, gwranda arna i,' meddai PC Williams. 'Fe ddihangodd dy dad. Mae e ar ffo, ac mae e'n gwneud pethau'n waeth iddo fe'i hun. Ma'r fyddin yn chwilio amdano fe. Os daw e yma, fy nghyngor i yw i ddweud wrtho fe am ildio'i hun.'

Cadwais fy mhwyll nes iddyn nhw fynd. Ro'n i'n gandryll ond yn hapus ar yr un pryd.

'Fe ddangosith Papà iddyn nhw,' medde fi. 'Beth yw'r pwynt iddo fe ildio'i hun? Er mwyn iddyn nhw ei roi e ar long arall 'nôl i Ganada a chael ei suddo eto? Fe wnaeth e'r peth iawn, Mamma.'

Ro'n i'n dyheu am gael ei weld e eto, ond ar yr un pryd ro'n i eisie iddo fe gadw'n saff a chadw draw o Fryn Mawr."

Gallai Joe deimlo hapusrwydd Nonno, fel pe bai'r newyddion da newydd ddigwydd. Aeth i lawr y grisiau gyda Mimi i weld Mam.

"Oeddet ti'n gwbod am yr *Arandora Star* yn cael ei suddo?" gofynnodd.

"Wrth gwrs 'mod i."

"Pam na ddywedest ti wrtha i?"

"Doedd Nonno ddim wir yn hoffi siarad am y peth. Beth bynnag, fe oroesodd dy hen dad-cu di, Joe – ddim fel Mario, druan, a foddodd."

"Mae'n rhyfedd," meddai Mimi. "Pe na byddai Mario wedi boddi, fyddwn i ddim yn bodoli."

"Pam?"

"Meddylia am y peth, Joe," meddai Mam. "Fe briododd hen fam-gu Mimi, sef modryb Nonno, eto flynyddoedd yn ddiweddarach, ac *yna* fe roddodd enedigaeth i fam-gu Nonno."

"O, dw i'n gweld," meddai Joe. "A pe bai Vito wedi boddi hefyd, fyddwn i ddim yn bodoli ... na tithe, Mam. Rhyfedd."

"Ma bywyd yn fregus iawn," meddai Mimi.

"Dw i'n falch na wnaeth Vito foddi," meddai Joe. "Ac mae'n flin gen i fod Mario wedi ... ond dw i'n falch hefyd, os ydych chi'n deall be dw i'n feddwl."

Gwenodd Mimi.

"Gwell i fi fwrw 'mlaen gyda swper," meddai Joe.

"Ti? Mae'n iawn," meddai Mimi. "Fe goginia i."

"Dw i eisie," meddai Joe. "Dw i wir eisie."

TRI DEG

Roedd y rysáit a ddewisodd Joe yn syml iawn o'i gymharu â'r *lasagne* yr arferai wylio Nonno'n ei wneud, ond hon oedd ei ymgais gyntaf ar ei ben ei hun. Rhoddodd CD opera i chwarae a gwyliodd Mimi ef yn ofalus wrth iddo ddechrau ffrio garlleg ac ansiofis. Roedd yr arogl pysgodlyd yn gryf iawn.

"Dim ond am ychydig bach o amser rydyn ni'n ei goginio fe," meddai Mimi, "ac yna rydyn ni'n ychwanegu'r tomatos."

"Dw i eisie rhoi tro ar wneud ar fy mhen fy hun," meddai Joe.

"Ocê. Dim ond helpu ydw i, Joe."

Daeth Mam yn ôl i mewn o'r caffi. "Beth wyt ti'n mynd i goginio?" gofynnodd.

"*Pasta puttanesca*," meddai Joe. "Ma Mimi am fy helpu."

Cododd Mam un o'i haeliau.

Daliodd Joe ei ddwylo i fyny. "Dim ond rhywbeth i swper yw e, Mam."

"Sut ma fe'n dod yn ei flaen?" gofynnodd Mam i Mimi, gan edrych i gyfeiriad Joe.

"Yn dda," meddai Mimi. "Dim ond ei fod e'n dipyn o deyrn."

"Pam na ewch chi i weld os yw'r cwsmeriaid yn iawn?" meddai Joe wrth eu harwain i'r caffi a chau'r drws.

Gwiriodd y rysáit, ac ychwanegu tomatos, tshilis, caprys ac olifau du. Wrth iddo droi'r saws, meddyliodd pa mor dda fyddai cael Nonno yno gydag ef.

Pan oedd hi'n amser berwi'r pasta gofynnodd Joe i Mimi ei helpu i bwyso digon ar gyfer pedwar person.

"Sut bydda i'n gwbod fod y pasta'n barod?" gofynnodd.

"Ti'n ei drio fe wrth iddo goginio," meddai Mimi. "Os yw e'n dal yn galed, ma angen mwy o amser; os yw'n rhy feddal ti wedi'i goginio fe'n rhy hir. *Al dente* – ddim yn rhy galed, ddim yn rhy feddal."

Blasodd Joe ddarn o'r pasta. Roedd e braidd yn galed o hyd. Pan oedd e jest yn iawn, dyma nhw'n draenio'r dŵr trwy hidlwr a dechreuodd Joe weini digon i bawb ar bob plât.

"Na," meddai Mimi. "Ry'n ni'n cymysgu'r pasta yn y sosban gyda'r saws."

"Ond ma'r llun yn y llyfr ryseitiau'n dangos y saws ar ben y pasta," meddai Joe.

"Ma hynna'n anghywir," mynnod Mimi. "Rhaid i ni gymysgu. Ma angen i'r saws lynu at y pasta – ma hyn yn gwella'r blas. Does dim gwahaniaeth sut mae e'n edrych – ma'r blas yn bwysicach."

"O'r gorau," meddai Joe.

Aeth y ddau ati i gymysgu'r saws a'r pasta gyda'i gilydd.

"*Bravissimo*," meddai Mimi.

Edrychodd Joe ar Mam, oedd yn edrych arnyn nhw o'r drws. Pan ddaliodd ei llygad gwenodd hi arno a dweud, "Da iawn."

Wrth iddyn nhw osod y bwrdd poenai Joe y byddai'r pryd yn blasu'n afiach ac y byddai pawb yn llwgu, er iddo dderbyn anogaeth gan Dad yn ddigon buan. "Arogli'n grêt, Joe."

"Ydy – diolch," meddai Mam.

Arhosodd Joe yn bryderus wrth i Mimi drio'r bwyd. Gwyliodd hi'n troelli ei fforc yn y spaghetti a'i flasu. "Mae e'n dda iawn, Joe," meddai. "*Buonissimo*."

"Ydy, hyfryd," meddai Dad a Mam.

Pan driodd Joe y bwyd cafodd ei blesio. Roedd e'n blasu o bysgod ac roedd e'n hoffi gwres cysurlon y tshili.

Teimlai'n fodlon wrth eu gwylio nhw'n bwyta'r bwyd y bu e'n ei baratoi iddyn nhw.

"Felly, Mimi," meddai Mam, "pryd wyt ti'n meddwl y byddi di'n mynd 'nôl i'r Eidal?"

Teimlai Joe fod awyrgylch y pryd bwyd cyntaf iddo'i goginio wedi'i ddifetha.

"Ma Nonno eisie iddi aros," meddai.

"Beth? Pryd ddywedodd e hynna?"

"Heddiw," meddai Joe, er nad oedd hynny'n hollol wir. "Pan es i i'w weld e. Fe ddwedodd e ei fod e eisie iddi aros achos ... achos ei fod e eisie i ti gael cymaint o help â phosibl tra 'i fod e yn yr ysbyty."

"Wel, dydy e heb ddweud hynna wrtha i."

"Ma fe wedi cael amser i feddwl am y peth, yn do?" meddai Joe. "O, ac mae'n well gyda fe fwyd Mimi na bwyd yr ysbyty. Ma fe'n meddwl y gwneith e wella'n gynt os yw e'n bwyta'i bwyd hi."

Gwenodd Mimi, ond edrychai Mam arno fel pe na bai'n ei gredu.

"Ac ma angen i ni arallgyfeirio," ychwanegodd Joe.

"Beth?"

"Ro'n i'n gwylio'r rhaglen 'ma ar y teledu. Mae'n debyg taw'r allwedd i lwyddiant busnes yw arallgyfeirio, yn ôl y boi 'ma – ehangu gweithgarwch eich busnes i ardaloedd anghymesur. Gorfod i fi chwilio am yr ystyr mewn geiriadur; 'gwahanol' ma fe'n olygu."

Roedd Dad yn gegrwth.

Rhoddodd Mam ei llaw ar dalcen Joe. "Glyn," meddai. "Wnei di fynd â fe at Doctor Dhital yn y bore?"

"Dw i'n teimlo'n iawn," meddai Joe. "Dw i jest yn teimlo'n wahanol ynglŷn â'r caffi."

"Yn wahanol, sut?"

"Ro'n i'n gwylio rhaglen arall ar y teledu ac roedd y dyn 'ma'n gwerthu medal ryfel ei dad-cu. Fe gafodd e bedwar deg punt amdani." Gwnaeth Joe yr ystum â'i ddwylo. "Dim ond pedwar deg punt!"

Cydiodd Mam yn ei fysedd. "A, felly ...?"

"Felly beth oedd pwynt ei gwerthu?" meddai Joe. "Roedd hi'n rhan o hanes ei deulu fe!"

"Oedd, ond ... O, dw i'n gweld," ochneidiodd Mam. "Ma'r caffi'n werth llawer mwy na phedwar deg punt, Joe, a ti'n mynd at y doctor fory er mwyn iddo fe gael gwneud yn siŵr dy fod di'n iawn."

"Dw i'n hollol iawn!"

Canodd y ffôn a chododd Dad y derbynnydd.

"Helô ... O, helô, Gwen ... O, allwn ni byth â chael hynny, allwn ni? Fe ddof i draw nawr." Rhoddodd y derbynnydd yn ei ôl. "Ma golau stafell molchi Gwen wedi torri – fe ddwedes i yr awn i draw yno."

"Fe ddof i gyda ti, Dad," meddai Joe. "Dw i eisie gofyn rhywbeth i Gwen."

Roedd e'n falch o gael dianc.

TRI DEG UN

"O, dw i'n boen, yn tydw?" meddai Gwen wrth iddi agor y drws.

"Ydych wir," meddai Dad. "Ro'n ni jest yn dweud ar y ffordd draw faint o niwsans ydych chi, yn doedden ni, Joe?"

"Oedden," meddai Joe, gan ymuno yn y pryfocio.

Edrychai Gwen fel pe bai'n poeni hyd nes y dechreuodd Joe a Dad chwerthin lond eu boliau.

"Ro'n i'n eich credu chi fan'na!" meddai Gwen.

Dechreuodd yr hen ddynes sgwrsio wrth i Dad edrych ar y gwaith weirio. "Mae'n anhygoel beth rydych chi'n ei ddysgu ar y we yn y llyfrgell," meddai.

141

"Ma nhw'n rhedeg cynllun, chi'n gweld, lle ma nhw'n eich helpu chi i olrhain hanes eich teulu. Wel, wnewch chi fyth ddyfalu ... roedd fy ewythr i, ar ochr fy nhad, yn arddwr i Aneurin Bevan – sylfaenydd y Gwasanaeth Iechyd!"

"Oedd e wir?" gofynnodd Dad. "Gallech chi neidio i flaen y ciw yn yr ysbyty gyda gwybodaeth fel'na."

"Chi'n meddwl?"

Chwarddodd Dad. "Dy'ch chi byth yn gwbod! Joe, trydan 'mlaen!"

Gwasgodd Joe y swits a chyneuodd y golau. "Ma hwnna'n edrych yn iawn nawr, Gwen," meddai Dad. "Gwifren rydd."

"Diolch, Glyn. Nawr 'te, faint sy arna i?"

"Anghofiwch amdano, Gwen."

"O, na, dewch 'mlaen." Trodd at Joe. "Dwed wrtho fe am adael i fi dalu."

"Wneith e ddim, Gwen."

Dechreuodd Dad gadw'i dŵls. "Gan ein bod ni'n ffrindiau," meddai, "beth am ryw gan punt ..." Edrychodd Gwen yn ofidus, cyn i Dad ychwanegu, "pan enillwch chi'r loteri."

Chwarddodd Gwen, a chofiodd Joe am yr hyn ddywedodd Mimi amdani'n teimlo'n unig. "Pam na ddewch chi draw am swper, Gwen?"

Stopiodd Gwen chwerthin. "Beth ti'n feddwl, Joe?"

"Dewch i'n cartre ni, draw yn y caffi, am swper un noson."

O weld yr ymateb ar wyneb ei dad roedd Joe'n poeni ei fod wedi rhoi'i droed ynddi, ond yna dywedodd Dad, "Ie ... ry'ch chi wedi bod yn gwsmer ffyddlon, Gwen. Ma gyda ni Eidales go iawn yn coginio i ni, fel ry'ch chi'n gwbod. Ma Mimi'n gwneud bwyd bendigedig."

Gwenodd Gwen. "Wel, dw i ddim yn gwbod beth i'w ddweud. Byddwn i'n dwlu dod."

Wrth iddyn nhw yrru adref, dywedodd Dad, "Roedd hynna'n beth clên i'w wneud, Joe – ei gwahodd hi draw."

"Wnei di ddweud wrth Mam?" gofynnodd Joe.

"O, dw i ddim yn meddwl y gwneith hi wrthwynebu, ond os wyt ti'n cael unrhyw syniadau clyfar arall, jest gofyn i fi'n gynta, ocê?"

"Ocê," meddai Joe. "Ro'n i'n meddwl ... do'n i ddim yn sylweddoli dy fod di'n rhoi arian i gynnal y caffi."

"Wel, does dim ots gen i," meddai Dad. "Ond gwranda, Joe, dw i ddim yn hoffi gweld dy fam wedi'i chythruddo – fel y busnes 'ma gyda Mr Malewski."

"Wnes i ddim o hynna er mwyn ei chythruddo hi, Dad. Dw i jest ddim eisie i'r caffi gael ei werthu."

"Dw i'n gwbod, Joe. Ond dw i'n cofio'r caffi pan ddechreuais i garu gyda dy fam. Bryd hynny roedd

143

e'n dal yn lle prysur, ond dydy Bryn Mawr ddim fel roedd e."

"Dyna dw i'n ei glywed o hyd – ond ma 'na lwyth o bobl yn byw yn y dre," meddai Joe gan ysgwyd ei ddwylo'n wyllt.

"Dw i wedi sylwi dy fod di'n defnyddio dy ddwylo tipyn, Joe," meddai Dad. "Beth ma hyn yn ei olygu?" Daliodd ei fysedd a'i fawd gyda'i gilydd. "Dyw e ddim yn anweddus, nagyw?"

"Na," meddai Joe. "Ma fe'n Eidalaidd."

"O."

"Ma fe'n dy helpu di i bwysleisio be wyt ti'n trio'i ddweud, Papà."

Edrychodd Dad arno.

"Ma Papà'n golygu dad, Dad."

"Dw i'n gwbod."

Gwenodd Joe arno.

TRI DEG DAU

Roedd Joe yn gyffrous ac yn nerfus wrth i Mimi agor y falf i adael dŵr drwodd i siambr y peiriant espresso. Safodd Mimi â'i dwylo ar ei chluniau, yn aros. Safai Mam a Dad wrth y drws yn edrych arnyn nhw. "Tro fe 'mlaen, Joe," meddai Mimi.

Pwysodd Joe y botwm ar y wal a daeth golau bach coch ymlaen. "Be sy'n digwydd nawr?" gofynnodd Joe.

"Ma'r dŵr yn cynhesu. Rydyn ni'n malu'r coffi ac yn llenwi hwn." Cododd Mimi gynhwysydd bach a dolen arno. "Yna rydyn ni'n tynnu'r lifer i wthio dŵr poeth drwodd, ac ma'r coffi ffres yn llifo i'r cwpan."

Arllwysodd Mimi ffa coffi i'r malwr a throi'r peiriant ymlaen. Gwnaeth sŵn chwyrnu a chrensian uchel.

"Yw e wedi torri?" gofynnodd Joe.

Ysgydwodd Mimi ei phen. "Ma fe'n iawn!" gwaeddodd dros y sŵn. Gallai Joe ogleuo'r coffi ffres; arogl dwfn a chryf.

Cyn hir gwelodd stêm yn codi o dop y peiriant. Sgwpiodd Mimi'r coffi wedi'i falu i'r hidlwr yna'i gysylltu at y peiriant coffi. Tynnodd y ddolen er mwyn iddo glicio i'w le. "Ma'r coffi'n barod."

Gosododd y cwpan o dan y tap a chamu 'nôl. "Tynna'r ddolen i lawr, Joe."

Estynnodd Joe am y ddolen a safai'n syth ar ben y peiriant, a'i thynnu. Roedd hi'n stiff, ond wrth iddo'i thynnu i lawr daeth sŵn hisian a byrlymu wrth i'r dŵr basio trwy'r hidlwr. Diferodd coffi brown tywyll allan o'r tap ac i'r cwpan. Roedd arogl y coffi bellach ddeg gwaith yn gryfach, ond cafodd Joe ei siomi wrth weld cyn lleied oedd yn y cwpan. "Dyw hynna ddim yn llawer," meddai.

"Oherwydd espresso yw e, Joe – coffi cryf iawn, *iawn*," meddai Mimi. "Nawr rydyn ni'n ychwanegu llaeth."

Roedd y llaeth wedi'i gynhesu ac yn ewynnu. Cafwyd mwy o synau ac arogleuon hyfryd wrth i Mimi wneud coffi i Mam a Dad.

"Hoffet ti un, Joe?" gofynnodd Mimi.

"O, dw i ddim yn siŵr," meddai Mam.

"Plis," meddai Joe.

"O'r gorau, ond gyda llwyth o laeth, neu byddi di ar dy draed drwy'r nos."

Cafodd Joe ychydig o siwgwr yn ei gwpanaid e, ac yna fe flasodd pawb y coffi.

"Oooo," meddai Dad. "Fe gymera i un o'r rhain yn y bore – i 'nghyflymu i."

"Ma fe *yn* hyfryd," meddai Mam. "Ond dwi ddim yn siŵr a fydd y cwsmeriaid yn sylwi ar y gwahaniaeth."

"Wrth gwrs y byddan nhw, Mam," meddai Joe. "Dw i yn sylwi."

"Paid â'i yfed e i gyd," meddai Mam.

Sychodd Joe ochr y peiriant San Marco â lliain. "Hyfryd, yn dyw e, Mam?"

Gwelodd hi'n nodio'i phen yn adlewyrchiad arian, gloyw y peiriant.

TRI DEG TRI

Cofiodd Joe iddo ef a Nonno eistedd yn yr union ystafell aros ychydig ddyddiau ynghynt ac i Nonno sôn bryd hynny am yr adeg pan arferai'r caffi fod yr un mor llawn. Cliciodd yr uchelseinydd a chlywodd Joe, "*Mr Kahn at Doctor Myrddin, ystafell tri.*"

Cofiodd Joe am y tâp diwethaf iddo wrando arno, ac am yr hyn y bu'n rhaid i Nonno ddelio ag ef. Roedd cymaint wedi newid yn ei fywyd bryd hynny, ac wedi newid er gwaeth hefyd. Anadlodd Joe yn ddwfn ac ochneidio.

"Be sy'n bod, Joe?" gofynnodd Dad.

"*Mr Davis at Doctor Dhital, ystafell dau.*"

Ar yr union eiliad y clywodd Joe y cyhoeddiad cafodd syniad. Edrychodd o amgylch yr ystafell aros.

"Joe," meddai Dad, "ma nhw newydd ein galw ni."

Disgleiriodd Doctor Dhital dortsh yn llygaid Joe. "Wel, rwyt ti'n ymddangos yn hollol iawn ar ôl dy ddamwain fach," meddai'r doctor.

"Fyddwn i ddim yn ei galw hi'n 'fach'," meddai Joe.

Camodd y doctor yn ôl ac edrych arno o'i gorun i'w sawdl. "Cario ychydig gormod o bwysau, efallai."

Roedd hynny braidd yn ddigywilydd, meddyliodd Joe, yn enwedig gan i'r gadair wneud sŵn gwichian wrth i'r doctor eistedd yn ôl i lawr ynddi. "Wyt ti'n gweld dau o bethau o gwbl?"

"Na," meddai Joe.

"Anghofio pethau?"

"Na."

"Pennau tost?"

"Dim ond pan bydd rhywun yn gofyn llwyth o gwestiynau i fi."

"Paid â bod yn ddigywilydd," dwrdiodd Dad.

Chwarddodd Doctor Dhital, a phenderfynodd Joe ei bod yn adeg dda i ofyn: "Pam bod rhaid i bobl aros mor hir yn y stafell aros?"

"Joe!" meddai Dad.

"Dw i jest eisie gwbod beth yw'r rheswm."

"Ma rhoi sylw meddygol yn cymryd amser," meddai

Doctor Dhital. "Ma gan rai pobl broblemau cymhleth sy'n cymryd amser i'w harchwilio, a'r hyn dydy pobl ddim yn sylweddoli ydy bod yn rhaid i ddoctoriaid ysgrifennu nodiadau ar ôl gweld pob claf."

"Fetia i eu bod nhw'n cwyno wrthoch chi am y ffaith eu bod nhw'n gorfod aros," meddai Joe.

"Ydyn, drwy'r amser, ond pe bydden ni'n rhuthro penderfyniad neu ddiagnosis gallai hynny gael canlyniadau difrifol iawn."

"Y peth yw ... fe ges i'r syniad 'ma ... jest nawr," meddai Joe.

"Syniad?"

"Ma'r stafell aros yn llenwi ac ma pobl yn mynd yn ddiamynedd, yn tydyn?"

Nodiodd y doctor.

"Felly fe feddylies i, beth pe bai pobl yn gallu aros yn y caffi yn lle hynny?"

"Aros funud, Joe ..." meddai Dad.

Roedd y gwynt yn hwyliau Joe. "Gallen nhw gael diod yn y caffi. A phan ry'ch chi a'r doctoriaid eraill yn barod ry'ch chi'n eu galw nhw drwodd ac ma nhw'n dod draw i'r syrjeri."

"Ond sut?" gofynnodd Doctor Dhital. "Sut bydden nhw'n cael eu galw drwodd?"

Trodd Joe at Dad. "Gallet ti gysylltu'r system uchelseinydd sydd yma â'r caffi, allet ti?" gofynnodd.

150

"Nawr, aros di eiliad—"

"Dim ond cwpwl o funudau o'r syrjeri yw'r caffi, ar y mwya," meddai Joe. "A fydd dim *rhaid* iddyn nhw aros yn y caffi. Dim ond ein bod ni'n rhoi dewis arall iddyn nhw."

Edrychodd y doctor ar Joe ac yna ar Dad. "Dw i ddim yn gwbod beth i'w ddweud," meddai wrth godi'r ffôn.

Gorfododd Dad ei hun i chwerthin. "Twp, yn dyw e? Rhaid i fi ddweud, ers ei ddamwain fach e ry'n ni wedi sylwi bod Joe—"

"Mrs Moore," meddai'r doctor wrth siarad ar y ffôn a thorri ar draws Dad. "Wnewch chi ddod mewn fan hyn?"

Ychydig eiliadau'n ddiweddarach daeth Mrs Moore, y derbynnydd, i mewn a gofynnodd y doctor i Joe esbonio'i syniad wrthi. Edrychai hi braidd yn ddryslyd ar ôl iddo orffen.

"Byddai llai o bobl yn eich hambygio chi," meddai'r doctor.

"Gwir," cytunodd Mrs Moore.

"A gallech chi gario 'mlaen gyda'ch gwaith gweinyddol," meddai Doctor Dhital. "Ry'ch chi wastad yn cwyno'ch bod chi ar ei hol hi."

"Hollol wir."

"Gallai'r cwsmeriaid ddod yn syth i'r caffi," meddai

Joe. "Ac fe allen ni roi gwbod i chi eu bod nhw'n aros. Byddan nhw'n llai piwis a, fel ddywedes i, byddai gyda nhw'r dewis o aros yn y caffi neu fan hyn."

Edrychodd Mrs Moore ar y doctor ac edrychodd y doctor ar Joe.

TRI DEG PEDWAR

"Dy'ch chi ddim o ddifri!" meddai Mam.

"Roedd Doctor Dhital yn meddwl bod gwerth rhoi tro ar y syniad," atebodd Joe.

"Ma fe'n syniad gwallgof."

"Dyna ro'n i'n ei feddwl," meddai Dad. "Ond roedd Doctor Dhital yn fodlon rhoi tro ar unrhyw beth er mwyn cael cleifion llai piwis."

"Mae'n wych!" meddai Mimi gan guro'i dwylo.

"Gall pobl aros yn y caffi," meddai Joe. "Gallan nhw gael diod, a phan fydd y doctoriaid yn barod byddan nhw'n eu galw nhw draw. Dim ond un munud, tri deg saith eiliad lan y stryd ma'r syrjeri – fe amserais i'r daith fy hunan. Dim ond cael gafael ar uchelseinydd ar gyfer y pen hyn sydd angen gwneud, yn tyfe, Dad?"

"Digon hawdd gwneud hyn'na," atebodd Dad, gan edrych yn nerfus ar Mam.

"Arhoswch funud nawr," meddai Mam. "Dw i ddim eisie caffi'n llawn o bobl sâl yn peswch a thagu dros bob man. Bydd pobl yn aros am fysys *ac* yn aros i weld y doctor; bydd e'n—"

"Bydd e'n gaffi llawn?" awgrymodd Joe.

"Paid â bod yn ddigywilydd," meddai Mam. "Tyrfa dros dro fyddan nhw – llif gyson o bobl, a fyddan nhw i gyd ddim yn gwario arian."

"Mam, gynta i gyd ro't ti'n cwyno am fod y caffi'n farwaidd – un neu ddau o gwsmeriaid yma am y prynhawn gydag un baned – nawr ti'n cwyno y bydd gormod o bobl 'ma."

"Nawr 'te, Joe," meddai Dad.

"Glyn, soniaist ti wrth Doctor Dhital fod Joe wedi bod yn ymddwyn braidd yn wahanol ers y ddamwain?"

"Ydw, dw i'n cytuno," meddai Joe, gan ysgwyd ei ddwylo yn yr awyr. "Dw i *yn* wahanol!"

"*A* ma fe wedi mynd yn Eidalaidd i gyd," meddai Mam.

Nodiodd Dad.

"Eidalwr ydw i!" meddai Joe gan wneud yr ystum â'i law.

"Dyna fe'n neud y peth 'na gyda'i ddwylo eto!" Chwarddodd Mimi.

"Edrychwch, hyd yn oed os ydyn ni'n gwerthu, fydd hyn yn gwneud dim niwed, na fydd?" meddai Joe.

"Wel, dw i ddim yn gweld y pwynt, a bod yn onest," meddai Mam. "Ma fe'n wirion."

Roedd ei gwefusau wedi'u tynnu'n dynn a chofiodd Joe am yr hyn ddywedodd Nonno ynglŷn â throsglwyddo etifeddiaeth fregus iddi. "Plis, Mam. Dw i wedi gwrando ar dapiau Nonno, a ro'n i jest yn teimlo ... ro'n i'n teimlo ei bod hi'n werth trio."

Ochneidiodd Mam. "Pryd o't ti'n bwriadu rhoi tro arni?"

"Cyn gynted ag y gall Dad redeg cebl yr uchelseinydd o'r syrjeri i'r caffi, meddai Joe.

"Ma'n bosib y galla i wneud bore fory," meddai Dad.

"Ac erbyn y prynhawn," meddai Mam, "ma'n siŵr y bydda i wedi dal y Pla Du."

Gorfododd Joe ei hun i chwerthin, ond gwgu wnaeth Mam.

TRI DEG PUMP

Anadlodd Joe yn galed wrth guddio y tu ôl i'r wal. Teimlai'n wael am ddilyn Mimi i dŷ Bonner, ond ystyriai mai ei gyfrifoldeb e oedd ei gwarchod hi. Roedd wedi gadael CD opera i chwarae yn ei ystafell wely er mwyn rhoi'r argraff ei fod yn dal yno.

Pan gyrhaeddodd Mimi'r drws ffrynt daeth Joe o hyd i guddfan y tu ôl i fan ar ochr arall y stryd. Crynodd pan welodd y drws yn agor a Bonner yn sefyll yno mewn crys a thei. "Mimi!" bloeddiodd Bonner, fel pe bai hi'n sefyll ar ochr arall y stryd gyda Joe. Unwaith iddi fynd i mewn i'r tŷ ac unwaith y caewyd y drws wyddai Joe ddim beth i'w wneud – doedd e ddim wedi meddwl am weddill y cynllun.

"Joe!"

Trodd Joe a gweld Combi. "Be ti'n neud 'ma?" gofynnodd Joe.

Gwyrodd Combi ei ben. "Cymryd *passeggiata* ... yr un fath â ti."

Stopiodd Joe ddweud celwydd – roedd e'n poeni gormod am Mimi. "O'r gorau. Beth ry'n ni'n mynd i'w wneud?"

Edrychodd Combi o'i gwmpas. "Dere!" galwodd wrth groesi'r ffordd.

Teimlodd Joe anwyldeb tuag at Combi o ganlyniad i'w hyder. Pan gyrhaeddon nhw dŷ Bonner edrychodd Combi o'i gwmpas eto, fel pe bai wedi arfer â bod yn dditectif preifat wrth ei waith bob dydd. "Gwylia di," meddai, "a chwibana os oes rhywun yn dod. Dw i'n mynd i gael golwg fach."

"Golwg ar beth?" gofynnodd Joe.

Pwyntiodd Combi at y ffenest. "Ma 'na fwlch yn y llenni."

Gwyliodd Joe wrth i Combi sleifio i fyny'r llwybr, croesi ar y lawnt a dowcio'i ben o dan y ffenest. Cododd ei ben i fod ar yr un lefel â'r bwlch. Sleifiodd Joe yn agosach. "Be ti'n ei weld?"

"Ma Bonner yn arllwys diod i Mimi," sibrydodd Combi.

"Ydy Mimi'n edrych wedi diflasu neu'n edrych yn hapus?" gofynnodd Joe.

Daliodd Combi law i fyny.

"Be sy?"

"Newyddion drwg," meddai Combi.

"Be?"

"Ma Mimi newydd chwerthin."

Gallai Joe deimlo'r pryder yn cynyddu ynddo, fel bustl.

"Mawredd ... y papur wal 'na ... ma fe'n rhoi cur pen i fi," meddai Combi.

"Beth nawr?"

"Ma Mam Bonner newydd dod â'r bwyd i mewn. O'r nefoedd!"

"Be?"

Trodd Combi at Joe. "Ma hi mor fach! Sut gall rhywun yr un maint â Yoda fod yn fam i Bonner?"

Pwyntiodd Joe at y ffenest. "Be sy'n digwydd nawr?"

"Fe ddyweda i wrthoch chi beth sy'n digwydd ..." atebodd llais dwfn.

Trodd Joe a gweld plismon.

"... Gallwch chi'ch dau esbonio beth ry'ch chi'n ei wneud."

Doedd Mam ddim yn edrych yn hapus pan agorodd y drws i'r plismyn.

"Sorri, Cwnstabl," meddai. "Ro'n i'n meddwl ei fod e yn ei stafell."

"Fe ddalion ni fe'n loetran," meddai'r plismon.

"Loetran? Dyw e erioed wedi loetran o'r blaen."

"Syniad Combi oedd e," meddai Joe.

"Ma'n wir ddrwg gyda fi, Cwnstabl," meddai Mam. "Dyw e ddim wedi bod yn iawn ers iddo fe gael damwain yn ystod ymarfer rygbi."

"Aaaa," meddai'r plismon, fel pe bai hynny'n egluro'r cyfan.

"Ddigwyddith e ddim eto," meddai Mam gan syllu ar Joe. "Fe gloiwn ni e lan yn yr atig o hyn 'mlaen."

Edrychodd Joe i fyny ar y plismon. "Ry'ch chi'n meddwl mai tynnu coes ma hi."

Cerddodd Joe yn ôl ac ymlaen yn ei ystafell, yn gwrando ar opera ac yn edrych ar ei oriawr. Roedd hi'n hanner awr wedi naw a doedd Mimi heb ddychwelyd o hyd. Edrychodd i lawr o ffenest ei ystafell wely ar y Stryd Fawr, ond doedd dim sôn amdani. Croesodd draw at y ffenest gyferbyn er mwyn edrych lawr ar yr ali. Gwelodd Mimi'n dod i mewn i'r iard gefn. Roedd hi ar ei phen ei hun. Anadlodd Joe ochenaid o ryddhad a mynd allan ar y landin. Amserodd bethau fel ei fod yn dod allan o'r ystafell molchi wrth i Mimi ddod i fyny'r grisiau. "Helô," meddai'n ddidaro. "Gest ti amser braf?"

"Do," meddai Mimi.

"Sut oedd y bwyd?"

"Digon neis. Cawl cig oen oedd e – bach yn drwm."

Roedd Joe yn benderfynol o gael gwybod mwy. "Ma Bonner yn ... ddiddorol, yn dyw e?" meddai.

Newidiodd y mynegiant ar wyneb Mimi ddim. Meddyliodd Joe fod hyn yn beth da.

"Ma fe'n ddyn mawr iawn," meddai Mimi.

"Ydy. Ma fe'n ... *fachgen* ... mawr."

Agorodd Mimi ddrws ei hystafell wely.

"Yn ôl y sôn," meddai Joe, "ma tipyn o ferched yn ei ffansïo fe. Bonner, hynny yw."

"Wir?" meddai Mimi. "Ti'n gwbod beth?"

"Beth?" gofynnodd Joe.

"Fe adawodd e i'w fam wneud yr holl goginio, a'r golchi llestri." Tynnodd Mimi gorneli'i cheg i lawr ac ysgwyd ei phen.

"Na?" meddai Joe. "Wel, dw i wedi fy synnu."

"*Buonna notte*," meddai Mimi, gan roi cusan iddo ar ei ddwy foch.

"*Buona notte*," meddai Joe.

Teimlodd ryddhad enfawr wrth fynd yn ôl i'w ystafell wely.

TRI DEG CHWECH

Roedd Joe'n mwynhau'r opera a chwaraeai ar ei iPod wrth iddo gerdded i'r ysgol.

Daeth Combi i gerdded wrth ei ochr a thynnu un o'i glustffonau allan. "Beth ddigwyddodd neithiwr, 'te?" gofynnodd.

"Anfonodd Mam fi i fy stafell," meddai Joe. "Gyda llaw, er gwybodaeth, fe roddais i'r bai arnat ti. Fe ddwedes i dy fod di eisie i Bonner ddychwelyd gêm roedd e wedi'i benthyg wrthot ti a bod angen cwmni arnat ti gan nad oeddet ti eisie mynd ar dy ben dy hun."

"Mae'n ocê. Fe ddwedes i wrth Mam fy mod i ar

ddêt gyda Mimi. A beth bynnag, pe baet ti wedi cadw golwg fel roeddet ti fod gwneud ..."

"Paid â dechre."

"Oedd Mimi'n hwyr yn cyrraedd 'nôl?"

"Na. Does gyda hi ddim diddordeb yn Bonner, beth bynnag," meddai Joe.

"Na, fydden i ddim yn meddwl," meddai Combi. "Amhosibl."

Aeth y ddau yn eu blaenau ar hyd y Stryd Fawr.

"Ar beth rwyt i'n gwrando?" gofynnodd Combi, a oedd bellach yn bwyta darn o bitsa a dynnodd o'r awyr iach, yn ôl pob tebyg.

Cynigiodd Joe un o'r clustffonau iddo. Cyn gynted ag y clywodd Combi'r gerddoriaeth cyrliodd ei wefus i fyny. "Y cyfan yw e yw rhywun yn sgrechian."

Ysgydwodd Joe ei ben. "Opera yw e – *Il Trovatore* gan Verdi. Ti'n gweld, ma'r cyfan yn dechre gyda'r ddynes sipsi 'ma sy'n taflu'r babi anghywir i'r tân ..."

"Be? Ti o ddifri?"

"Ydw. Ma hi eisie talu'r pwyth yn ôl gan fod yr Iarll wedi lladd ei mam hi, ti'n gweld. Felly ma hi'n dwyn un o'i ddau fabi fe ac yn ei daflu i'r tân. Y broblem yw ei bod hi'n taflu ei babi hi ei hun i'r tân, mewn camgymeriad, nid un yr Iarll."

"Na!"

"Dim gair o gelwydd. Yna, pan ma'r ddau frawd yn

tyfu'n hŷn ma'r ddau'n ffansïo yr un ferch, ond dydyn nhw ddim yn gwbod eu bod nhw'n frodyr, ti'n gweld ..."

Aeth llygaid Combi'n gul. "Pryd ddigwyddodd hyn, 'te?"

"Dyw e ddim wedi digwydd," meddai Joe. "Opera yw e. Ffantastig, yn dyw e?"

"Na," meddai Combi. Dechreuodd gnoi ei ddarn o bitsa. "Ti eisie tamed?"

"Na, dim diolch," meddai Joe.

"Ma fe dros ben ers neithiwr," meddai Combi. "Dw i'n dwlu ar bitsa oer – melys."

Llyfodd Joe ei wefusau a dechreuodd syniad gyniwair yn ei ben.

"Pitsa melys."

"Be?"

"Newydd feddwl ydw i – pitsa â stwff melys arno, yn lle stwff sawrus."

"Dw i erioed wedi clywed am hynny," meddai Combi.

"Bydde fe'n neis, cofia – afal wedi'i sleisio a banana, a phinsied o gnau coco neu sinamon."

Pylodd llygaid Combi ac agorodd ei geg led y pen, gan ddangos y pepperoni a'r caws wedi'i gnoi i Joe. "Ble galli di'i brynu fe?"

"Alli di ddim," meddai Joe. "Ma'n rhaid i ti ei wneud e."

163

"O, paid â gwneud hynna!"

"Be?"

"Disgrifio rhywbeth neis ac yna dweud nad yw e'n bodoli."

"Ma fe'n bodoli," meddai Joe. "Dim ond bod angen i ti'i neud e." Aeth yn ei flaen a stopio o flaen y siop fetio lle roedd Dad wrthi'n pasio cebl dros y to. "Sut mae'n mynd, Dad?"

"Ocê. Fe ddylai fod yn iawn erbyn syrjeri y prynhawn 'ma."

"Dw i wedi paratoi arwyddion i'w harddangos yn stafell aros y syrjeri," meddai Joe. "Fe ddywedodd Mrs Moore fod hynny'n iawn. Allet ti ddim eu hongian nhw i fi, allet ti?"

"O'r gorau," meddai Dad. "Dw i wir yn gobeithio y bydd hyn i gyd werth yr ymdrech, Joe."

"A finne, Dad."

"Dw i ddim yn deall," meddai Combi.

"Beth?"

"Ma pobl yn aros yn y caffi er mwyn cael gweld y doctor, ydyn?"

"Ydyn, dyna ti."

"Ond byddan nhw'n dal i aros am yr un faint o amser."

"Paid â lladd ar fy syniad i, Combi," meddai Joe. "Byddan nhw mewn lle brafiach a bydd diodydd wrth law. Bydd e'n llesol iddyn nhw ac i'r caffi. Bydd pawb ar eu hennill."

Ysgydwodd Combi ei ben. "Fyddan nhw ddim yn deall."

"Am be ti'n sôn?" meddai Joe wrth wneud yr ystum â'i law.

"Beth yw hwnna?" gofynnodd Combi, gan ddynwared yr ystum.

"Fyddet ti ddim yn deall," meddai Joe. "Peth Eidalaidd yw e."

Taflodd Combi ei ben yn ôl a griddfan. Cerddodd Joe yn ei flaen.

"Ydy Mimi wedi gofyn amdana i?" gofynnodd Combi wrth ddal i fyny ag ef.

"Na," meddai Joe.

"Fyddet ti'n dweud wrtha i pe byddai hi?"

Cyflymodd Joe ei gamau, gan esgus na chlywodd y cwestiwn.

TRI DEG SAITH

Aeth Joe yn syth i'r caffi amser cinio ond cafodd ei siomi o weld ei fod yn weddol wag. "Ble ma pawb?" gofynnodd i Mam.

"Pwy wyt i'n ei olygu wrth 'pawb'?"

"Y cleifion o'r syrjeri."

"Ma'n siŵr bod yn well gyda nhw aros yno, Joe."

"Wel, ydy'r uchelseinydd yn gweithio?" gofynnodd, a'r union eiliad honno clywodd, *"Mr Jones at Doctor Dhital, ystafell dau."*

"Ma hwnna wedi 'ngwneud i'n wallgo," meddai Mam.

Aeth Joe y tu ôl i'r cownter a chodi'r ffôn. Deialodd rif y doctor.

"*Syrjeri Bryn Mawr.*"

"Mrs Moore – Joe sy 'ma, o'r caffi."

"O, helô, Joe."

"Ydy fy nhad i wedi hongian yr arwyddion?"

"Do."

"Ond dy'n nhw ddim yma, Mr Moore – y cleifion, hynny yw."

"Na. Ma nhw fan hyn fel arfer, Joe – dw i ddim yn meddwl eu bod nhw cweit yn credu'r peth."

Roedd Joe yn benderfynol fod ei syniad yn mynd i weithio, ond wrth iddo nesáu at y syrjeri dechreuodd deimlo'n nerfus. Sylwodd ar Combi'n bwyta y tu allan i'r Cwt Ffowls.

"Ble ti'n mynd?" gofynnodd.

"At y doctor. Dere gyda fi."

"Dw i'n bwyta."

"Byddi di wedi'i orffen e erbyn i ni gyrraedd yno."

"Ti eisie tamed?" gofynnodd Combi.

"Na."

"Dal ar ddeiet dy fam?"

"Sothach yw'r bwyd 'na, Combi, yn union fel y dywedodd Mimi wrthon ni."

Stopiodd Combi a rhoi ei focs o sglodion i grŵp o fechgyn.

Dechreuon nhw ei lowcio'n syth.

"Fwlturod di-chwaeth!" meddai Joe.

Roedd yr ystafell aros yn orlawn. Syllodd Joe ar yr wynebau diflas o'i amgylch a chafodd deimlad annifyr y byddai ei syniad yn destun gwawd ym Mryn Mawr am byth.

Amneidiodd Mrs Moore arno i fynd draw ati wrth y dderbynfa. "Cer i gael gair â nhw, Joe," meddai. "Byddwn i wrth fy modd pe gallet ti wneud iddyn nhw ddiflannu." Siaradodd i'r meicroffon. "Ga i eich sylw chi, os gwelwch yn dda. Dyma gyhoeddiad byr gan Joe, o Gaffi Merelli."

Roedd pawb yn syllu arno ac fe rewodd Joe. Teimlodd Combi'n ei bwnio yn ei asennau.

"Welwch chi'r arwyddion?" Prin roedd Joe yn sibrwd. "Ar y wal fan'na ..." Pwyntiodd at yr arwyddion. "Fel ma nhw'n dweud, ma cyhoeddiadau'r doctoriaid yn cael eu trosglwyddo i Gaffi Merelli. Dim ond ychydig siopau lan y Stryd Fawr ma'r caffi, fel ry'ch chi'n gwbod. Gallwch chi aros yno, a chael diod poeth, neu beth bynnag ..."

Parhau i syllu ar Joe fel pe bai'n siarad Eidaleg wnaeth y cleifion, a dechreuodd ei geseiliau gosi. Edrychodd ar y seddi lle'r eisteddodd e a Nonno ddyddiau'n unig ynghynt, yn edrych o'u cwmpas ar yr un wynebau oeraidd. Plygodd Combi'n agos. "Cymhelliad, Joe – cynigia ddiodydd am ddim iddyn nhw. Ma pobl wrth eu bodd yn cael stwff am ddim."

"Fydd Mam ddim yn hapus am hynny."

"Wyt ti eisie iddyn nhw ddod i dy gaffi di neu beidio?"

Sylweddolodd Joe fod Combi'n iawn. "Gan mai heddiw yw'r diwrnod cynta," meddai, "o ran treialu'r syniad 'ma, ma'r te a'r coffi i gyd am ddim. Fydd dim rhaid i chi dalu."

Cafwyd rhywfaint o fwmian ymysg y cleifion.

"Nawr, dyna i chi gynnig," meddai Mrs Moore.

"Ydy hynny'n cynnwys siocled poeth?" gofynnodd rhywun.

"Ydy, meddai Joe, gan fagu hyder. "A dweud y gwir, ma gyda ni amrywiaeth o fyrbrydau poeth ac oer, ac ma'r peiriant espresso'n gweithio bellach ar gyfer coffi ffres, cappuccino â llaeth ewynnog, te, a siocled poeth â hufen wedi'i chwipio. Os dilynwch chi fi fe af â chi yno."

Cerddodd Joe a Combi allan o'r syrjeri i'r Stryd Fawr, ond fentrodd Joe ddim edrych yn ôl. "Ydyn nhw'n dod?" gofynnodd i Combi.

"Llwyth ohonyn nhw," atebodd Combi. "Ddyliwn i gael Coke am ddim am dy helpu di."

Pan gyrhaeddon nhw'r caffi aeth Joe i mewn a gwenu ar Mam. "Ma nhw'n dod."

"Pwy sydd?"

"Cleifion o'r syrjeri, Mam. Fe ... fe wnes i addo

diodydd am ddim, gan mai heddiw yw'n diwrnod cynta ni."

"Beth? O, Joe!" Rhoddodd Mam ei dwylo dros ei llygaid.

"Cymhelliad, Mrs Davis," meddai Combi. "Fy syniad i oedd e."

Daeth y cleifion o'r syrjeri i mewn i'r caffi a gweiddi eu harchebion. Aeth Joe y tu ôl i'r cownter. Llenwodd yr hidlwr, ei gysylltu â'r peiriant espresso a thynnu'r ddolen.

"O, beth yw'r arogl hyfryd 'na?" gofynnodd un cwsmer.

"Coffi," meddai Joe. "Coffi Eidalaidd go iawn."

Clywodd y cwsmeriaid yn cymryd anadl ddofn. "Fe gymera i un!" meddai rhywun.

"Fi hefyd."

"*Gwych-issimo!*" meddai Joe wrth estyn Coke i Combi ynghanol yr anhrefn.

Roedd Joe wedi'i gynhyrfu'n lân, er i'r holl goffi a yfodd gyfrannu at ei gyffro, heb os. Defnyddiodd lwyth o ystumiau dwylo wrth esbonio'i syniad ynglŷn â chleifion y syrjeri wrth Nonno yn yr ysbyty.

"Roedd y caffi'n llawn!" meddai. "Fel y stafell aros."

Chwarddodd Nonno. "Wel, pam na feddyliais i erioed am hynna?"

Roedd Joe'n falch o weld Nonno'n chwerthin. "Fe wrandewais i ar y tâp 'na neithiwr, Nonno, ynglŷn â'r *Arandora Star* yn suddo. Roedd e'n ofnadw, ac fe wnaeth i fi deimlo cywilydd eu bod nhw wedi gwneud hynny i Eidalwyr oedd heb wneud unrhyw beth o'i le."

Roedd gwên Nonno wedi diflannu. "Nid dyna'r stori gyfan," meddai. "Ma mwy i ddod."

TRI DEG WYTH

"Roedd yn rhaid i'r caffi barhau fel arfer. Roedd pobl yn siarad gyda ni eto, ac, yn raddol, fe ddaeth ein cwsmeriaid yn ôl. Cerddai Zia o gwmpas y lle fel ysbryd. Am wn i ei bod hi wedi derbyn bod Mario wedi boddi, gan fod gormod o amser wedi pasio erbyn hynny. Roedd e'n ofnadw. Ro'n i'n teimlo'n euog fy mod i'n hapus am fod Papà yn fyw yn rhywle.

Un diwrnod daeth swyddog y fyddin i mewn gyda PC Williams. Gofynnon nhw a oedden ni wedi clywed wrth Papà. Cydiodd Mamma'n dynn yn fy llaw i o dan y cownter, fel rhybudd i aros yn bwyllog. 'Na, dydyn ni heb,' medde fi.

Dywedodd y swyddog wrthon ni ei bod hi'n anghyfreithlon i roi lloches i estron-elyn. Edrychodd i fyny ar y nenfwd. 'Oes ots gyda chi os af i i gael golwg lan stâr?'

'Oes, ma ots gyda fi," medde fi. "Dyw e ddim 'ma."

Nodiodd y swyddog arna i, cyn mynd yn syth lan stâr beth bynnag.

"Sorri," medde PC Williams.

"Ry'ch chi'n dweud hynny o hyd."

Wrth gwrs, ddaeth swyddog y fyddin ddim o hyd i unrhyw un, felly fe adawodd e a PC Williams.

Teimlwn fel pe bawn i'n brwydro fy rhyfel fy hun ..."

Stopiodd Joe y tâp. "Ma fe'n anhygoel, yn dyw e?" meddai wrth Mimi.

"Ydy," meddai hi. Adlewyrchwyd golau'r ddesg yn ei llygaid hi, a meddyliodd Joe pa mor debyg yr edrychai i gantores brydferth mewn opera.

"Ychydig wythnosa'n ddiweddarach daeth grŵp o lowyr i mewn i'r caffi, yn syth o'u shifft ac yn ddu o'u corun i'w sawdl. Gofynnodd Dai Gwynn os gallen nhw ddefnyddio'r stafell gefn ar gyfer cyfarfod. 'Wrth gwrs,' medde fi. 'Fe ddof i â paned i chi.'

Wrth iddyn nhw fynd drwodd i'r cefn ro'n i'n teimlo'n falch, gan eu bod nhw'n siarad â fi fel pe bawn i'n fos, tra bod Papà i ffwrdd. Roedd Mamma lan stâr ac fe wnes i debotiaid mawr o de. Ro'n ni wedi pobi bara ynghynt, felly fe dosties i ambell dafell a mynd â nhw drwodd iddyn nhw. Ro'n nhw'n brin o ddynion bryd hynny, gan fod cymaint wedi'u galw i'r rhyfel, felly roedd e'n adeg anoddach na'r cyffredin iddyn nhw, hyd yn oed.

Pan es i 'nôl i mewn i'r caffi daeth Joni Corbett i mewn gyda'i fêts.

'Y'n nhw wedi dal dy dad di eto?' gofynnodd yn wên o glust i glust.

Pan wyt ti'n wynebu sialens yn dy fywyd rwyt ti naill ai'n cryfhau neu'n pylu'n ddim ond llwch, a gallwn weld fod Joni'n meddwl fod ganddo bŵer drosta i o hyd. Falle mai'r ffaith fod Dai a'r glowyr yn fy nhrin i fel y bos a roddodd hyder i fi, ond fe syllais i ar Joni a dweud, 'Does dim croeso i ti na dy fêts yma, felly allan â chi.'

Cilwenodd Joni. 'A pwy sy'n mynd i 'ngorfodi i?'

Caeais fy nyrnau a martsio rownd y cownter. Teimlwn cyn gryfed â chawr wrth gerdded ato a chydio ynddo.

Dechreuodd y ddau ohonon ni ymladd. Dw i'n cofio teimlo fy nghefn yn taro'n glewt yn erbyn y cownter ac yna'r byrddau. Yn rhyfedd ddigon, y cyfan y gallwn feddwl amdano wrth ymladd oedd yr hyn roedd llywodraeth Prydain wedi'i wneud i'r Eidalwyr ac i Papà. Ro'n i'n eu casáu nhw a ro'n i'n casáu Joni.

Gallwn deimlo'r bechgyn eraill yn cydio ynof, ond

174

roedd gen i fraich o amgylch gwddf Joni. Â fy holl nerth tynnais ei ben i lawr ar y bwrdd a'i glywed yn gwichian.

Yr eiliad nesaf roedd y glowyr yn ei dynnu oddi arnaf. Ro'n i wedi ymlâdd wrth i fi sefyll yn edrych i lawr ar Joni, a'i drwyn yn gwaedu.

Rhuthrodd Mamma i mewn. 'Beppe, be sy'n digwydd?'

'Dim byd i boeni amdano, Mamma,' medde fi. 'Fe ddywedes i wrth Joni nad oes croeso iddo fe yn y caffi.' Syllais ar y tri bachgen arall. 'Na ti, ti na ti.' Pwyntiais at bob un fel pe bawn yn eu melltithio. 'Nawr, ewch â fe mas a pheidiwch â dod 'nôl.'

Fe aethon nhw â Joni o'r caffi, ac fe es i 'nôl y tu ôl i'r cownter. 'Unrhyw beth arall y galla i ei wneud i chi, ddynion?' gofynnais i'r glowyr, fel pe bai dim wedi digwydd.

'Na, dim diolch, Beppe,' meddai Dai. 'Ond os cewch chi unrhyw drafferth eto, rhowch wbod i ni.'

'Diolch, Mr Gwynn.'

'Fe adawon ni rywbeth i chi yn y cefn am eich trafferth,' meddai wrth adael.

Cyn gynted ag yr aethon nhw, dechreuodd Mamma arthio arna i am yr hyn wnes i i Joni, ac fe ddechreuon ni ddadlau.

Pan aethon ni yn ôl i'r stafell gefn fe welson ni fod un o'r glowyr yn eistedd yno o hyd, yn yfed te. Safodd Mamma a fi yn stond. Roedd wyneb y glöwr yn llwch *glo i gyd, ond hyd yn oed wedyn, ro'n ni'n gwbod – Papà oedd e. Roedd e 'nôl."*

Eisteddodd Joe a Mimi mewn tawelwch am rai eiliadau.

"Tad Nonno'n cael ei smyglo 'nôl i'r caffi gan y glowyr, a hynny o dan drwynau'r heddlu a'r fyddin," meddai Joe. "Gwych!"

"Ydy," meddai Mimi, yna cymerodd ei law a syllu i'w lygaid. "Ma'r caffi yma'n bwysig, Joe."

Aeth braich Joe yn boeth i gyd. "Dw i'n gwbod."

"Paid ag ildio."

"Wna i ddim."

Roedd llaw Joe yn poethi. "Be wyt ti eisie, Mimi?" gofynnodd. "Hynny yw ... be wyt ti eisie'i wneud yn y dyfodol?"

"Hoffwn i fod yn berchen ar fwyty un dydd, a choginio i bobl," meddai. "Mae e'n beth bendigedig i'w wneud."

"Ydy," meddai Joe, er mai unwaith yn unig roedd e wedi coginio'n iawn.

"Ma bwyd yn tynnu pobl ynghyd," meddai Mimi. "Nid fel pan ma pobl yn gwylio pêl-droed neu'n mynd i'r eglwys ... Ma bwyd yn tynnu teulu a ffrindiau at ei gilydd i fwyta a siarad. A phan wyt i'n coginio i bobl ti'n dangos dy fod yn eu caru nhw. Ma bwyd da yn rhoi boddhad ac yn gwneud pobl yn hapus. Mae'n beth arbennig iawn ... Bwyd yw bywyd."

Roedd Joe'n gegrwth. "Ie," meddai. Daeth teimlad rhyfedd drosto, fel pe bai ei hen dad-cu, Vito, yn gwrando. "Gallet ti goginio fan hyn, Mimi," meddai. "Fel ma Mr Malewski'n mynd i'w wneud, ond gallet ti goginio i bawb."

Gwenodd Mimi. "Gallwn, Joe."

"Dy fwyty cynta di," meddai Joe.

Chwarddodd hi a mwytho'i wyneb.

"Byddet ti'n ein helpu ni, Mimi," meddai Joe, "gyda fy nghynllun i."

"Pa gynllun?"

TRI DEG NAW

Roedd Joe'n poeni bod Mam yn mynd i fynd o'i cho' wrth iddi sefyll yn y gegin yn edrych arno ef a Mimi. "Alli di ddim disgwyl i ni brynu bwyd a choginio ciniawau gyda hanner gobaith y gallwn ni ddenu'r cwsmeriaid."

"Fe ddwedodd Nonno y bydde fe'n talu am gost y bwyd," meddai Joe. "Ma fe am i ni roi tro ar hyn, Mam, a ma *gyda* ni fwy o gwsmeriaid erbyn hyn, yn does?"

"Pobl wedi'u caethiwo, dyna fyddwn i'n eu galw nhw," meddai Mam. "Dw i'n dy rybuddio di, Joe – bydda i'n holi Nonno am hyn."

"Gallwn ni goginio bwyd da," meddai Mimi. "Iach, blasus a glân."

Trodd Joe at Dad. "Ti'n hoffi bwyd Mimi, yn dwyt?"

Edrychodd Dad ar Mam wrth i gloch y drws ganu. "Gwen fydd honna, yma i swper," meddai. "Beth am i ni gael pryd teuluol neis, ie?"

Agorodd Joe ddrws y cefn. "Haia, Gwen."

Roedd Gwen wedi gwneud ei gwallt ac wedi gwisgo colur. "Dw i byth allan mor hwyr â hyn," meddai.

Cyfarchodd Mam hi'n gynnes wrth iddi gyrraedd.

"Fy nghyfraniad i at y pryd," meddai Gwen wrth estyn potel o win i Mam. "Ooo, mae rhywbeth yn gwynto'n hyfryd."

Nodiodd Mimi a gwenu. "*Pasta al pesto.*"

"Saws pesto wedi'i wneud yn ffres," meddai Joe. "Digon syml, a dweud y gwir – basil wedi'i falu, olew a chnau pin gyda chaws Parmesan a chaws Pecorini."

Canodd y gloch unwaith eto.

"Pwy sy 'na nawr?" gofynnodd Mam.

"Tudur, siŵr o fod," meddai Joe.

"Tudur?"

"Ie, Mam," meddai. "Wnes i ddim sôn 'mod i wedi ei wahodd e hefyd?"

"Naddo, wnest ti ddim."

Daeth Tudur i mewn yn dal tusw o flodau ac yn cario bag cynfas. Roedd e wedi defnyddio jel er mwyn cadw'i wallt yn ei le ar ffurf cwiff. Gwisgai siwt gyda chrys a thei. Cyfarchodd bawb ac estyn y blodau i Mimi.

"I ti," meddai.

"O, diolch."

Daliodd Tudur y bag i fyny. "A fy sbrowts olaf i," meddai gan roi'r bag i Mam.

"Dw i wrth fy modd, diolch, Tudur," meddai hi.

Wrth i'r bwyd gael ei weini rhoddodd Joe CD opera i chwarae.

"*Buon appetito*," meddai Mimi.

Dechreuodd pawb fwyta.

"O, ma hwn yn fendigedig," meddai Gwen.

"Mae e fel cerddoriaeth yn fy ngheg i," meddai Tudur.

Chwarddodd Mimi.

Wedi i Joe flasu peth ohono, meddai, "Ychydig mwy o bupur, dw i'n meddwl."

Edrychodd Mimi arno.

"Beth yw'r gerddoriaeth?" gofynnodd Gwen.

"Ie, ma fe braidd yn drwm, Joe," meddai Mam.

"*Tosca* gan Puccini," meddai Joe. "A dyma Scarpia'n canu – ma fe'n gas ofnadw."

"Pwy yw e?" gofynnodd Tudur.

"Y dyn drwg," atebodd Joe. "Ti'n gweld, os nag yw Scarpia'n cael ei ffordd gyda Tosca ma fe'n bygwth trefnu i'w chariad hi gael ei ladd gan griw saethu."

"O diar," meddai Gwen.

Nodiodd Joe. "Yna ma fe'n addo defnyddio bwledi gwag, chi'n gweld, a ma Tosca yn ei gredu fe." Roedd *crescendo* y corws a'r gerddorfa yn cryfhau. "Ond ry'ch chi'n darganfod mai celwydd oedd y cyfan, ac mae ei chariad hi'n cael ei saethu â bwledi go iawn wedi'r cyfan!"

Safodd Joe ar ei draed, a'i lygaid led y pen. "Yna ma Tosca'n ei weld e, wedi marw a thyllau bwledi ar hyd ei gorff i gyd. Ma hi'n rhedeg i dop y castell. 'Scarpia!' ma hi'n canu. 'Fe wela i di cyn Duw!' A ma hi'n neidio. Splat! Y diwedd." Caeodd Joe ei lygaid wrth i'r gerddoriaeth daranu i'w diweddglo dramatig.

Pan edrychodd Joe roedden nhw i gyd yn syllu arno mewn tawelwch. Hongiai ceg Tudur led y pen ar agor.

"Joe, wyt ti wedi bod yn yfed coffi eto?" gofynnodd Mam.

"Na."

"Swnio'n dda," meddai Tudur. "Tybed a ydyn nhw wedi gwneud ffilm ohono fe?"

"Wel, dw i'n dechre cael camdreuliad," meddai Mam. "Chwaraea damed o Mantovani."

Cliriodd Joe a Dad y platiau a chafodd pwdin ei weini mewn cwpanau gwydr, tal. "*Zabaglione*," eglurodd Mimi. "Wy wedi'i guro â gwin Marsala."

"Mawredd," meddai Gwen wrth ei flasu. "Galla i ddweud, â'm llaw ar fy nghalon, nad ydw i erioed wedi blasu unrhyw beth mor hyfryd ers ... wel, ddim erioed."

Cafodd Joe ei syfrdanu gan y blas. Roedd yn felys a hufennog ac yn blasu o wirod poeth.

Cliriodd Tudur ei wddf. "Ma nhw'n dweud mai'r ffordd i galon dyn yw trwy ei fol e." Sylwodd Joe ei fod yn syllu ar Mimi. "Ac ma'r bwyd 'ma ... fel trên cyflym i 'nghalon i."

"Beth, yn cau dy rydwelïau di i gyd?" gofynnodd Dad.

"Na, Na. Yr hyn dw i'n feddwl yw ... O, does dim ots."

Gwyliodd Joe nhw'n bwyta'r bwyd hyfryd a sylweddolodd ei fod eisiau coginio yn fwy nag erioed.

"Wel, hoffwn i ddweud pa mor garedig oeddech chi yn fy ngwahodd i," meddai Gwen. "Dw i'n ddiolchgar iawn."

"Clywch, clywch," meddai Tudur.

"Yn enwedig i ti, Lucia," meddai Gwen.

Roedd Mam wedi'i synnu. "Fi?"

"Ie," meddai Gwen. "Byth ers i 'ngŵr i farw, ac oherwydd bod fy merch i'n byw yr holl ffordd ar draws y byd yn Awstralia, y caffi yw'r unig le dw i'n teimlo bod croeso i fi. A dw i'n gwbod fod pethe'n anodd ar eich teulu chi, ac ar y caffi 'ma ..." Cododd ei gwydryn. "... ond hoffwn i ddymuno'r holl lwc yn y byd i chi."

Edrychodd Mam ar Joe wrth i'w gwydrau nhw gyffwrdd.

Cerddodd Joe i'r arhosfan bws gyda Gwen a Tudur.

"Oedd unrhyw un ohonoch chi'ch dau'n nabod Lou Zecchini?" gofynnodd Joe.

"Ro'n i'n ei nabod," meddai Gwen. "Ma fe wedi marw nawr. Ma 'i ferch e'n byw yn Llanelli, dw i'n meddwl. Pam?"

"O, dim ond syniad ges i. Dyma'ch bws chi."

Wrth i'r bws agosáu, dywedodd Joe, "Felly ydych chi'ch dau'n gêm ar gyfer fory, 'te?"

"Wyt ti'n siŵr?" gofynnodd Tudur.

"Byddwch chi'n gwneud ffafr â ni, wir," meddai Joe. "Dewch ar ôl hanner awr wedi deuddeg, archebwch ginio a bwytwch yn y caffi. Dyna'r cyfan sy'n rhaid i chi wneud."

"Ac ma'r bwyd am ddim?" gofynnodd Gwen.

"Ydy, dim ond i chi'ch dau," meddai Joe. "Ein cyfrinach ni."

"Am gyffrous!" meddai Gwen.

Aethon nhw â hi'n ddiogel at y bws a'i gwylio'n gadael.

"Wel, diolch eto, Joe," meddai Tudur. "Does dim ots gyda fi dalu am y cinio."

"Na," atebodd Joe. "Dw i'n mynnu."

"Wel, dw i ddim yn deall, ond fe wela i di fory."

Trodd Tudur i fynd, cyn oedi. "Gobeithio nad oes ots gyda ti 'mod i'n gofyn, Joe, ond ydy Mimi'n gweld rhywun?"

"Na, dyw hi ddim, ond ..."

"Ie?"

Ceisiodd Joe dynnu ochrau'i geg i lawr er mwyn edrych yn fwy difrifol. "Nawr, paid â chymryd hyn y ffordd anghywir ..." meddai, gan sylweddoli fod ei lais yn swnio braidd yn ddwfn.

"Na, cer yn dy flaen," meddai Tudur. "Ddyweda i 'run gair wrth neb."

"Wel, gan ei bod hi'n gyfnither i fi," meddai Joe mewn llais dwfn o hyd, "ma'n rhaid i fi ofalu amdani, ti'n gweld ... a'r peth yw ..."

"Does gyda fi ddim byd i'w gynnig iddi," meddai Tudur. "Dyna sydd, yn dyfe?"

"Wel ..."

Ochneidiodd Tudur. "Na, ti'n iawn ... Bron yn dri deg oed, dim swydd, a'r cyfan dw i'n berchen arno yw rhes o DVDs a thamed o randir."

"A ti'n byw gyda dy fam," ychwanegodd Joe, gan deimlo'n wael yn syth pan welodd ymateb Tudur.

"Dwyt ti heb sôn am hynny wrth Mimi, nagwyt?"

"Naddo."

"Da iawn."

Rhoddodd Joe ei law ar ei ysgwydd. "Roedd Mimi'n dweud bod dy randir di wedi creu argraff arni, cofia."

"Oedd hi?"

"Oedd?"

Edrychodd Tudur yn hapusach. "Ti'n meddwl yr hoffai hi gael rhai o'm pannas i?"

"Ydw, dw i'n meddwl y bydde hi wrth ei bodd," meddai Joe.

Edrychodd Tudur i fyny ar yr awyr. "Edrych ar y lleuad, Joe. Prydferth, yn dyw hi?"

"Ydy."

"Nos da, Joe."

"Nos da, Tudur."

Gwyliodd Joe wrth iddo fynd ac yna syllodd ar y Stryd Fawr yng ngolau'r lleuad.

Stryd brydferth, meddyliodd. *A chaffi prydferth.*

PEDWAR DEG

Aeth ias i lawr asgwrn cefn Joe pan welodd fod pobl yn aros ar y palmant y tu allan i'r caffi.

"Wel, ma tro cynta i bopeth," meddai Mam wrth agor y drysau.

Daeth y dyrfa i mewn, ac wrth i Mam gymryd eu harchebion gofynnodd Joe am enwau'r rhai oedd yn aros i weld y doctor. Yna ffoniodd drwodd i'r syrjeri.

"Bore da, Mrs Moore," meddai. "Ma gyda fi gleifion fan hyn sy'n aros i gael eu gweld – Mr James, Mrs Patel, Mrs Petrovich a'i mab, Ivan ..." Dechreuodd Joe sibrwd. "Ma'n rhaid i fi'ch rhybuddio chi fod ei wyneb e wedi chwyddo fel pêl rygbi ... Yna ma Mr Lewis, Mrs Evora

186

a Mr Rhydderch. Dyna'r cyfan hyd yma."

"Diolch, Joe. Ma'r stafell aros yn wag fan hyn – hyfryd," meddai Mrs Moore. *"Dim ond ambell bresgripsiwn i'w sortio."*

Cododd Mr James ei law. "Does dim rhaid i ni brynu unrhyw beth, oes e?"

"Na. Dim o gwbl, Mr James," meddai Joe.

"Ddwedes i," mwmialodd Mam. "Ma fe'n dynn ofnadw gyda'i arian."

"Ga i de, plis?" gofynnodd Mrs Evora.

"A hoffwn i gael te llysieuol os gweli di'n dda, Joe," meddai Mrs Patel.

"Mintys?"

Nodiodd ei phen a rhwbio'i stumog. "Dw i heb fod yn iawn ers tro."

"Ar ei ffordd."

Ogleuodd Mr Rhydderch yr aer. "Ma'r coffi'n arogli'n fendigedig."

"Ma fe'n ffres," meddai Joe.

"Fe gymera i un," meddai Mr Rhydderch. "I brofi 'nghalon i."

"O, o'r gorau. Fi hefyd," meddai Mr James.

"Ar eu ffordd," meddai Joe gan wenu'n fodlon ar Mam.

"Mrs Evora at Doctor Dhital, stafell dau, os gwelwch yn dda."

"O, ond dwi ddim wedi cael fy nhe eto," meddai Mrs Evora.

"Ddweda i wrthoch chi be wnawn ni," meddai Joe. "Gallwch chi fynd â fe gyda chi neu ddod 'nôl ar ôl eich apwyntiad a chael un arall, am ddim."

Goleuodd wyneb Mrs Evora. "Diolch, Joe. Fydda i 'nôl."

"Rhoi diodydd am ddim nawr," meddai Mam.

"Na. Adeiladu cysylltiadau â'r gymuned, os hoffet ti wbod," meddai Joe. "A nawr dw i am ddosbarthu'r bwydlenni'n barod ar gyfer cinio."

Aeth Joe o gwmpas y caffi gan osod y bwydlenni a ddyluniodd ar ei gyfrifiadur ar bob bwrdd.

"Dyma'n bwydlen ni ar gyfer amser cinio heddiw," dywedodd wrth y cwsmeriaid. "Wedi'i pharatoi'n arbennig gan ein perthynas ni o'r Eidal – coginio Eidalaidd go iawn. Yn cael ei weini o hanner awr wedi deuddeg ymlaen." Dechreuodd y cwsmeriaid fwmian ymysg ei gilydd ar yr union eiliad y daeth Tudur i mewn.

"Bore da, bawb."

"Bore da, Tudur," meddai Joe. "Yr arferol?"

"Espresso, plis – dw i'n ddyn newydd ers ei ddarganfod e. Ydy Mimi o gwmpas?"

Daeth Mimi at ddrws y gegin. "O, helô, Tudur."

"*Buon giorno*, Mimi," meddai yn wên o glust i glust.

"Dw i wedi dod â phannas o'r rhandir i ti."

"O, diolch i ti."

Paratodd Joe'r coffi a mynd ag ef at y bwth lle'r eisteddai Tudur. Sychodd Joe y bwrdd, a sibrydodd o gornel ei geg, "Ti dal yn gêm ar gyfer nes 'mlaen?"

"Ydw," meddai Tudur. "Dw i'n edrych 'mlaen. Pwy fydde ddim? Cinio am ddim ..."

Ciciodd Joe Tudur o dan y bwrdd. "Sorri," meddai'r ddau wrth ei gilydd.

"Hanner awr wedi deuddeg ar ei ben," meddai Tudur. "Beth am i ni checio bod ein watshys yn iawn?"

"Does dim angen."

Gwnaeth Joe yn siŵr fod gan Mimi bopeth yr oedd arni ei angen er mwyn paratoi cinio cyn gadael am yr ysgol.

Ar y ffordd teimlodd law yn ei daro ar ei ysgwydd. Gwingodd, gan wybod yn iawn pwy oedd yno.

"Sut ma Mimi?" gofynnodd Bonner. "Gofyn amdana i, oedd hi?"

Synhwyrodd Joe gamdreuliad yn cychwyn yn ei stumog, ac yna cafodd syniad. "Oedd, fel mae'n digwydd."

Stopiodd Bonner. Diflannodd ei wên barhaol.

"*Oedd* hi?"

Nodiodd Joe.

"Beth ddwedodd hi?"

"'Ma Bonner yn ddyn mawr,' medde hi, ac fe ddwedes i, 'Ydy ... ma fe'."

Syllodd Bonner i'r pellter. "Dyn mawr," meddai wrtho'i hun.

"A ro'dd hi'n hoffi dy fam di," meddai Joe.

"Yn hoffi Mam," ailadroddodd Bonner, a gwelodd Joe ddagrau'n cronni yn ei lygaid.

"Ma Mimi'n coginio cinio arbennig yn y caffi heddi," meddai Joe.

"Ydy hi?"

"Ydy," meddai Joe. "Dw i'n dweud wrthot ti, Bon, ma bwyd yn bwysig iawn i ni'r Eidalwyr, ti'n gwbod? Pwysig iawn, ac ma Mimi wrth ei bodd yn coginio."

Cerddodd y ddau i'r ysgol a teimlodd Joe fraich Bonner yn llithro dros ei ysgwydd.

"Ti'n foi iawn, ti, Joe."

PEDWAR DEG UN

Aeth Joe ar ras yn ôl i'r caffi amser cinio. Teimlai'n nerfus wrth agosáu, ond pan welodd faint o gwsmeriaid oedd yn eistedd wrth bob bwth trawodd yr awyr â'i ddyrnau. "Hwrê!"

Aeth i mewn i'r caffi a mynd yn syth y tu ôl i'r cownter. "Haia, Mam," meddai. "Wyt ti wedi cymryd unrhyw archebion cinio?"

"Naddo."

Sgwrsiodd y cwsmeriaid dros ddiod wrth aros.

"Wyt ti wedi sylwi," gofynnodd Joe, "fod awyrgylch brafiach 'ma nag yn stafell aros syrjeri'r doctor?"

"Alla i ddim dweud 'mod i wedi."

"Edrych arnyn nhw, Mam. Yn sgwrsio. Ma pobl yn nerfus, fel arfer, wrth aros i weld y doctor – rhag ofn fod newyddion drwg o'u blaenau nhw – ond ma'r caffi'n lle saff, ti'n gweld. Ma nhw'n hapusach fan hyn na draw fan'na. Yn bendant."

"Mrs Morgan at Doctor Dhital, stafell dau, os gwelwch yn dda."

Aeth Joe drwodd i'r gegin lle roedd Mimi'n paratoi bwyd. "Arogli'n hyfryd, fel arfer," meddai Joe. Agorodd y drws a dechrau ysgwyd lliain sychu llestri mawr i gyfeiriad y caffi.

"Be ti'n neud?" gofynnodd Mam.

"Mae angen iddyn nhw ogleuo cyn prynu," sibrydodd.

Ochneidiodd Mam.

Crwydrodd Joe rhwng y byrddau a thacluso'r potiau halen a pupur a'r bwydlenni.

"Mimi!" galwodd drwodd i'r gegin. "Y cawl *minestrone* – tomatos, ffa, seleri, moron, tatws, basil a llwyth o gaws Parmesan, dyna sydd ynddo fe, yn dyfe?"

"Ie, ti'n iawn," gwaeddodd hithau yn ôl.

Eiliad yn ddiweddarach daeth Tudur i mewn. Roedd e'n gwenu.

"Mmmm. Beth yw'r arogl hyfryd 'na?" gofynnodd, wrth i Mam alw, "Y bws i Aber yn cyrraedd!"

Cododd sawl un er mwyn gadael, gan wthio heibio i Tudur.

Aeth Joe ato a sibrwd, "Ti'n meddwl y gallet ti fynd allan a dod 'nôl mewn? Chlywodd pawb ddim o'r hyn ddwedest ti."

"O, o'r gorau," meddai Tudur, cyn gadael. Aeth Joe yn ôl y tu ôl i'r cownter.

"Ai Tudur ddaeth mewn fan'na a mynd yn syth 'nôl allan?" gofynnodd Mam.

"Sylwais i ddim," meddai Joe wrth i Tudur ddod yn ôl i mewn a cherdded at y cownter. Winciodd ar Joe.

"Mmmm. Ma rhywbeth yn ogleuo'n ffeind," meddai dros y lle. Edrychodd rhai o'r cwsmeriaid i fyny.

"Cawl y dydd yw hwnna, Tudur," meddai Joe. "*Minestrone*."

"Ie *wir*?" meddai Tudur yn uchel, gan edrych o'i gwmpas ar y cwsmeriaid. "Wel, dw i am gael peth o hwnna, heb os nac oni bai."

Pwysodd Joe ymlaen a sibrwd, "Paid mynd dros ben llestri, Tudur."

"Sorri."

"Un cawl!" galwodd Joe drwodd i'r gegin wrth i Tudur gymryd sedd.

"Beth yw dy gêm di?" gofynnodd Mam.

"Dim byd," atebodd Joe.

Canodd y gloch a daeth Gwen i mewn. "Helô, Lucia, Joe."

"Helô, Gwen. Yr arferol, ie?" gofynnodd Mam.

Gallai Joe weld fod Gwen yn nerfus. Daliai'n dynn yn ei bag llaw wrth edrych arno. "Wel, ro'n i'n mynd i archebu fy nghinio arferol," meddai. "Ond ... beth yw'r arogl hyfryd 'na?"

"Cawl y dydd yw e, Gwen," meddai Joe'n uchel.

Griddfanodd Mam. "Dw i ddim yn credu hyn."

"*Dw i'n* cael y cawl," galwodd Tudur.

"O, pam lai?" meddai Gwen. "Dim ond unwaith ry'n ni ar yr hen ddaear 'ma."

Cymerodd sedd ar yr union eiliad y daeth Bonner a'i griw i mewn gyda Combi.

Daeth Mimi o'r gegin â'r fowlen o gawl i Tudur.

"Helô, Mimi," meddai Bonner, â gwên lydan a winc.

"Helô," meddai hi wrth iddi gratio caws Parmesan ar gawl Tudur.

"Sut alla i eich helpu chi?" gofynnodd Joe i Bonner.

"Ry'n ni wedi dod am ginio, yn do?"

"Ydych chi wedi archebu?" gofynnodd Joe.

"Beth?" meddai Mam.

Gwasgodd Joe ei droed yn ysgafn ar ei throed hi.

"Archebu?" meddai Combi.

"Do'n ni ddim yn gwbod bod angen i ni," meddai Bonner.

Edrychodd Joe o gwmpas y caffi. "Wel, gadewch i ni weld ... galla i'ch gwasgu chi'ch dau mewn, ond bydd yn rhaid i'r lleill aros, ma arna i ofn."

"Ma'r bwrdd yna'n wag," meddai Bonner gan bwyntio.

"Ma fe wedi'i gadw," meddai Joe wrth ddod o'r tu ôl i'r cownter. "Dilyn fi."

Arweiniodd Joe Bonner a Combi at fwrdd wedi'i rannu a rhoi bwydlen yr un iddyn nhw. Ar ei ffordd yn ôl at y cownter cafodd ei stopio gan gwsmer. "Beth yw'r saig pasta?"

"Selsig Eidalaidd sbeislyd a phasta rigatoni," meddai Joe. "Ma fe'n cael ei argymell gan y *chef*."

"Y peth yw," eglurodd y cwsmer, "dw i'n aros i'r doctor fy ngalw i drwodd."

"Ry'n ni'n gweini cinio tan hanner awr wedi dau, syr," meddai Joe. "Fe gadwa i le i chi."

Aeth Joe yn ôl y tu ôl i'r cownter a sylwi bod Mam yn dal ei thalcen. "Bydd yr adran safonau masnach ar ein holau ni!" mwmialodd hi.

Nodiodd Joe ar Tudur. Ymatebodd hwnnw drwy wneud sŵn griddfan uchel.

Trodd y cwsmeriaid eraill i edrych arno. "Ma hwnna'n fendigedig," meddai gan ddal llond llwy arall o gawl wrth ei geg. "Galla i deimlo'r daioni ma pob cegaid yn ei wneud i fi, a'r fitaminau'n sgrialu o gwmpas 'y nghorff i."

"Ga i rywfaint?" gofynnodd un cwsmer.

"Fi hefyd," meddai un arall.

"Mr Collins at Doctor Myrddin, stafell tri."

"Fi yw hwnnw," meddai Mr Collins. "Ond fe ddof i 'nôl i gael y pasta."

"Wrth gwrs," atebodd Joe. "Dau gawl!" galwodd drwodd i'r gegin.

"Ar y ffordd!" meddai Mimi.

Winciodd Joe ar Mam. "Ar y ffordd i wneud ein ffortiwn!"

PEDWAR DEG DAU

Piciodd Joe i dop y grisiau sawl gwaith, yn llawn chwilfrydedd ynglŷn â'r hyn oedd yn digwydd i lawr yn y gegin. Gweithiai Mr Malewski a'i fab, Dariusz, wrth y ffwrn, gan droi cynhwysion mewn sosbenni mawr a ffrio cig. Llenwyd y lle ag arogleuon cryf, sawrus.

"Pobl ddieithr yn y tŷ," meddai Mam wrth iddi wylio'r teledu gyda Dad yn yr ystafell fyw. "Dw i ddim yn gyffyrddus am y peth."

"Hoffet ti glustog arall?" gofynnodd Joe.

Rholiodd Mam ei llygaid. "Paid â 'mhryfocio i, Joe."

"Ond, Mam," meddai. "Falle y byddi di'n *gwerthu'r* caffi i Mr Malewski."

"Ddim eto."

Aeth Joe i lawr y grisiau. Gwelodd Dariusz yn esbonio wrth Mimi beth roedden nhw'n ei goginio. Ymddangosai hi fel pe bai ganddi ddiddordeb mawr, a gwnaeth hyn Joe yn genfigennus. Gallai glywed sŵn chwerthin a sgwrsio'n dod o'r caffi. Edrychodd y tu mewn a gwelodd y cwsmeriaid yn yfed ac yn siarad wrth aros am eu bwyd. Roedd hi'n olygfa hyfryd, ond teimlai allan o bethau braidd, felly penderfynodd fynd am dro.

Cerddodd Joe ar hyd yr ali gefn ac allan i'r Stryd Fawr. O ochr arall y stryd gallai weld y caffi wedi'i oleuo i gyd. Eisteddai pobl wrth y byrddau yn sgwrsio, bwyta ac yfed, fel petai heno oedd eu noson olaf ar y ddaear. Gwelodd Dariusz a Mimi'n cario platiau drwodd o'r gegin a'r cwsmeriaid yn dechrau bwyta'n awchus. Roedd y cyfan yn fendigedig. Bwyty'n disgleirio'n llachar yn y tywyllwch; rhywle i fwyta bwyd da a chael croeso cynnes – "rhywle i fod", fel y dywedodd Nonno. Dychmygodd mai fel hyn roedd pethau pan oedd Nonno yr un oed â Joe.

"Hei, Joe!"

Trodd Joe ac edrych i fyny. Roedd Marta'n pwyso allan o ffenest un o'r llofftydd uwchben siop Mr Malewski. "Busnes da, ydy?" meddai hi, gan nodio tuag at y caffi. "Fi fydd yn berchen arno fe ryw ddydd."

"Dwyt ti heb ei brynu fe eto," meddai Joe yn ddiflas.

"Roeddwn i eisie helpu heno ond fe ddywedodd Dad na. Ddim yn deg." Pwyntiodd at y caffi. "Pobl yn hapus, ac yn bwyta, ac yn gwario arian." Chwarddodd a churo'i dwylo. "A dw i'n clywed bod eich ciniawau chi'n gwneud yn dda hefyd!"

"Ddim yn ffôl," meddai Joe.

"Fe ddylech chi gynnig bwydlen ryngwladol," awgrymodd Marta. "Er mwyn cael mwy o gwsmeriaid. Meddylia am y peth, Joe ... bwydlen ryngwladol."

Cododd Joe ei ysgwyddau a dechreuodd gerdded yn ôl ar draws y ffordd.

"Hei, Joe," galwodd Marta eto.

"Beth?"

"Beth yw dy oedran di?"

"Pedair ar ddeg. Pam?" gofynnodd Joe.

Cododd ei hysgwyddau. "O'n i'n meddwl dy fod di'n hŷn."

Roedd Joe yn falch, yna stopiodd ac edrych yn ôl.

Cododd Marta law arno a chwerthin.

PEDWAR DEG TRI

"Eisteddodd Papà wrth y tân a dywedodd wrthon ni beth ddigwyddodd y bore y cafodd yr Arandora Star ei suddo.

Roedd e'n cysgu pan gafodd ei ddeffro gan sŵn y ffrwydradau. Dwedodd taw'r peth cynta a aeth trwy'i feddwl oedd bod y llong wedi cyrraedd porthladd ac wedi taro yn erbyn y doc. Eisteddai Mario'n gefnsyth yn ei fync. Roedd fel pe bai'n gwbod yn syth eu bod nhw wedi cael eu taro gan dorpido. Roedd popeth yn dawel, ac yna fe glywson nhw sŵn gweiddi, a thraed yn rhuthro ar hyd y coridor. Ymunodd Papà â'r dyrfa oedd yn ceisio cyrraedd y dec.

Dw i'n cofio Papà yn syllu i'r gwagle o'i flaen am

foment, cyn sibrwd, 'Dw i byth eisie gweld panig fel'na eto.'

Dynion yn meddwl am neb ond nhw 'u hunen; yn gwthio pobl i'r naill ochr. Ar y dec roedd pobl yn ymladd dros le ar gwch achub. Roedd dynion yn y dŵr; roedd rhai'n nofio ac roedd rhai'n arnofio ar weddillion y llong, neu'n dal yn dynn yn ei gilydd. Roedd y llong yn gwyro i'r ochr. Roedd amser yn brin. Roedden nhw'n gwbod y byddai'n rhaid iddyn nhw nofio.

'Roedd 'na ddyn, Eidalwr arall,' dywedodd Papà wrthon ni. 'Wna i fyth anghofio'r ofn ar ei wyneb e. "Alla i ddim nofio!" medde fe. "Dere gyda ni," medde fi wrth i fi stryffaglu ar y rheilin, ond fe wrthododd. Yna fe neidiais i a Mario.'

Fe ddisgrifiodd y sioc o daro'r dŵr oer, a sugno aer i mewn i'w gorff wrth iddo ddod yn ôl i'r wyneb. Edrychodd o'i gwmpas a gweld Mario, ond yr eiliad nesaf disgynnodd rhywbeth arno. Roedd rhywun wedi neidio o'r llong ac wedi glanio reit ar ei ben, gan wthio Mario o dan y dŵr. Daeth y dyn yn ôl i wyneb y dŵr yn brwydro am ei anadl cyn nofio i ffwrdd.

Galwodd Papà, 'Mario! Mario!' Clywodd sŵn metel yn rhwygo a griddfan a gwelodd y llong yn codi allan o'r môr. Gwelodd y dyn oedd methu nofio yn dal yn dynn yn y rheilin o hyd wrth i'r llong ddechrau suddo. Cafwyd ffrwydrad enfawr o ddŵr ac yna diflannodd y llong.

Welodd Papà ddim o Mario eto.

Dechreuodd dagrau lifo lawr ei wyneb e. Dyna'r tro cynta erioed i fi ei weld e'n llefen. Roedd braich Mamma'n dynn amdano. Roedd Zia'n llefen. Roedd hi'n gwbod yn barod bod ei gŵr hi wedi marw, ond nawr, o leiaf, cafodd wybod sut y digwyddodd hynny."

Stopiodd Joe y tâp. Roedd un peth gwael ar ôl y llall wedi digwydd i Nonno a'i rieni – y penderfyniad i garcharu'r Eidalwyr, y penderfyniad i'w hanfon nhw i Ganada a phenderfyniad y llong danfor Almaenig i suddo llong yn llawn dynion diniwed, oedd yn cynnwys Almaenwyr. Roedd fel plot opera, heblaw mai bywyd go iawn oedd e. Roedd Joe ar fin gwrando ar fwy o'r tâp pan glywodd gerddoriaeth.

PEDWAR DEG PEDWAR

Roedd y ffenestri'n dirgrynu.

Aeth Joe i lawr y grisiau a syllu mewn i'r caffi. Roedd Dariusz yn chwarae acordion a orffwysai ar ei benglin. Roedd y cwsmeriaid wrthi'n canu'n braf.

Roedd Mimi'n clapio i guriad y gerddoriaeth ac yn chwerthin. Dyma'r tro cyntaf i Joe ei gweld yn wirioneddol hapus. Roedd Mr Malewski a Mr Kempski, y cwsmer brecwast, fraich-ym-mraich ac yn canu â dagrau yn eu llygaid.

"Joe," meddai Mr Kempski, "dw i'n gweld eisie fy mhentref – jest y tu allan i Gdansk."

Ymddangosodd Mam wrth y drws. Doedd hi ddim

yn edrych yn hapus. "Mr Malewski!" gwaeddodd, ond cafodd ei boddi gan sŵn y gerddoriaeth. Trodd ac aeth yn ôl i fyny'r grisiau.

Roedd hi'n hwyr iawn a mynnodd Mam fod y cwsmeriaid yn gadael.

Gwyliodd Joe y ciniawyr yn mynd i lawr y stryd, gan ganu ar dop eu lleisiau. Disgleiriai'r glaw yng ngolau lampau'r stryd, ac roedd Joe'n genfigennus o Mr Malewski'n cael coginio ar eu cyfer nhw.

"Roedd e'n dda, ti'n meddwl, Joe?" meddai Mr Malewski wrth sychu un o'r byrddau. "Ma pobl o Wlad Pwyl yn gweithio'n galed, yn chwarae'n galed ac yn bwyta'n dda. Fe ddaethon ni â'r dre 'ma'n fyw!" Cododd ei wydr. "*Na zdrowie!*"

"Ei ddysgu fe i yfed nawr, ydych chi, Mr Malewski?" gofynnodd Mam.

"Rydyn ni'n dathlu. Mae e'n wych, eich bachgen chi," meddai Mr Malewski, gan daro Joe yn ysgafn ar ei ben.

"Ydy, ma fe, ond os nagoes ots 'da chi, ma hi'n hwyr iawn."

Tynnodd Mr Malewski ddyrnaid o arian papur o'i boced. "Ma arna i bum deg y cant o'r elw i ti."

"Pedwar deg y cant gytunon ni," meddai Joe.

Chwifiodd Mr Malewski law arno. "Pum deg, pedwar deg. Heno, does dim ots gen i." Cyfrodd yr arian ar y bwrdd. "Nos da, Mrs Davis."

Rhoddodd Joe CD yn y chwaraewr a gwrandawodd ar gerddoriaeth opera wrth iddo helpu Mam, Mimi a Dad i glirio. Gwyliodd Mr Malewski'n igam-ogamu ar draws y ffordd i'w siop, gan ganu wrth fynd.

"Roedd e'n wych," meddai Mimi. "Pobl yn bwyta ac yn canu ac yn bod yn hapus!"

"Oedd," meddai Joe.

"Dw i ddim yn siŵr a oedd e werth yr holl lanast 'ma," meddai Mam.

Roedd Joe wrthi'n sythu un o'r lluniau ar y wal. "Pam wyt ti'n casáu'r caffi gymaint, Mam?" gofynnodd.

Gwelodd y syndod yn ei llygaid.

"Ma Joe'n iawn," meddai Mimi wrth Mam. "Dw i wedi clywed tapiau Nonno. Ma calon gan y caffi 'ma, ond does dim ots gyda chi amdano mwyach."

"Dw i ddim yn meddwl fod hyn yn ddim o dy fusnes di," meddai Mam.

"Ddim yn fusnes i fi, na, ond fe ddaeth fy hen fam-gu i yma yn un naw tri naw – fe helpodd hi Nonno pan gafodd ei dad ei gymryd oddi yma. Gofynnodd Nonno i fi ddod 'ma. Fe dalodd e am fy nhocyn i. Fe ofynnodd e i fi helpu, un tro olaf cyn i'r cyfan ddod i ben, ond nawr dw i'n gweld eich bod chi wedi rhoi'r gorau iddi, wedi ildio. Dydych *chi* ddim yn poeni ..."

"O, 'na ni, dw i ddim yn poeni," meddai Mam,

bron â ffrwydro gan ddicter. "Dw i ond wedi gweithio naw deg chwech mil o oriau rhwng y waliau 'ma – dw i'n gwbod hynny achos fe gyfrifais i ar gyfrifiannell un tro! Ers pan o'n i'n ddeunaw oed – saith diwrnod yr wythnos, bryd hynny – naw deg chwech mil o oriau ... a mwy." Roedd ganddi ddagrau yn ei llygaid wrth i *Madam Butterfly* ganu yn y cefndir. "A ti'n dod 'ma gyda dy goginio ac yn meddwl y galli di fynd 'nôl mewn amser a gwneud y cyfan fel roedd e – jest fel'na!"

Trodd at Joe. "Dw i'n gwbod beth rwyt ti eisie, Joe – dw i'n deall, ond dw i'n sôn am yr hyn *dw i* eisie." Prociodd ei brest wrth i'r gerddorfa gyrraedd uchafbwynt. "Ma 'nhad i wedi ennill ei gyfle i orffwys, ond dyma fi nawr. Fy nhro i. Wyt ti'n deall?"

"Ond os nad oeddet ti eisie gweithio fan hyn, pam na ddwedest ti?" gofynnodd Joe. "Byddai Nonno wedi deall, ond yn lle hynny ti'n rhoi'r bai ar y pedair wal 'ma." Roedd ei galon yn curo fel timpani mewn opera. Pwyntiodd at y llun. "Ni sy'n berchen arno fe – ein busnes teuluol ni yw e, Mam. Nawr 'mod i'n gwrando ar stori Nonno, a stori Papà Nonno, dw i'n caru'r lle yn fwy nag erioed. Dw i ddim eisie iddo fe farw."

Llifodd deigryn i lawr ei foch.

"Mae'n hwyr, Joe," meddai Mam. "Dw i am i ti fynd i'r gwely." Trodd at Mimi. "A ti ... rwyt ti wedi aros yma'n rhy hir."

Aeth Mam i fyny'r grisiau. Agorodd Mimi ddrws y caffi ac aeth allan i'r nos.

"Ddylet ti ddim bod wedi siarad fel'na gyda dy fam," meddai Dad.

Fe glirion nhw weddill y byrddau gyda'i gilydd mewn tawelwch.

PEDWAR DEG PUMP

Eisteddodd Joe ar ei ben ei hun a gwrando ar weddill tâp Nonno.

"Roedd yn rhaid i Papà gael ei guddio, ac am gyfnod fe arhosodd yn yr atig, ond roedden ni ar bigau'r drain o hyd y byddai'r fyddin neu'r heddlu yn ymweld â ni eto.

Roedd dogni bwyd ar ei anterth bryd hynny, a parhaodd Papà i biclo pob math o fwydydd er mwyn ei gadw'i hun yn brysur, ond roedd gorfod aros yn yr atig trwy'r dydd yn ei wneud e'n wallgof. Dw i'n meddwl bod cael ei garcharu, hyd yn oed am y cyfnod byr hwnnw, wedi gwneud rhywbeth iddo. Felly bob hyn a hyn byddai'n gwisgo fel glöwr ac yn mynd mas gyda'r nos. Galli di ddychmygu faint roedd Mamma a finne'n poeni, ond roedd e'n dweud bod yn rhaid iddo fe fynd mas.

Un noson fe ddaeth e ata i. 'Dere gyda fi, Beppe.' Arweiniodd fi lan i'r atig. Fe safon ni yno'n edrych ar y jariau o fwydydd wedi'u piclo. 'Defnyddia nhw,' medde fe. 'Ma pobl yn llwgu.'

'Ond ar gyfer y gaea' ma nhw, Papà,' dywedais wrtho.

'Na,' medde fe. 'Ma pobl eu hangen nhw nawr.'

Yna fe glywson ni Mamma. 'Vito, Beppe!'

Pan aethon ni lawr stâr roedd Dai Gwynn y glöwr yn sefyll yn y gegin gefn. 'Ma'n rhaid i ti fynd, Vito. Ma rhywun wedi dweud wrth y fyddin dy fod di yma ac ma nhw ar y ffordd gyda'r heddlu. Cer i fy nhŷ i,' meddai. 'Galli di guddio yno. Bydd 'y ngwraig yn dy ddisgwyl di.'

Diolchodd Papà a Mamma iddo, ond roeddwn i wedi fy ngwylltio'n gacwn.

'Pwy ddwedodd wrth y fyddin?'

'Dy'n ni ddim yn gwbod, Beppe.'

'Fetia i taw PC Williams oedd e.'

'Nid fe oedd e, yn sicr,' meddai Dai.

'Sut gwyddoch chi?'

'Oherwydd PC Williams ddwedodd wrtha i am gael Vito oddi yma.'

Roedd gen i gywilydd 'mod i wedi amau'r heddwas. Yn fuan wedi i Papà adael, cyrhaeddodd swyddog y fyddin

gyda PC Williams er mwyn archwilio'r tŷ. 'Ma'n flin gen
i am hyn, Beppe,' medde fe.

'Gwarth,' gwaeddais wrth i'r milwyr stompio i fyny'r
grisiau. Yna fe sibrydais wrtho, 'Diolch'.

Am ddyn, ac am risg a gymerodd ... Does dim llawer
mwy i'w ddweud nawr, Joe ..."

Dechreuodd syniad ffurfio ym meddwl Joe; allai e
ddim cysgu felly aeth i lawr y grisiau.

Eisteddodd mewn bwth yn y caffi tywyll. Roedd y
Stryd Fawr yn wag, ac ymddangosai fel tref ysbrydion.

Gwyliodd Joe gwpwl yn cerdded ar draws y stryd.
Dychmygodd Joe fod y caffi ar agor ac yn eu croesawu
nhw i mewn i gael diod boeth. Bydden nhw'n eistedd
ac yn datgan eu cariad at ei gilydd.

Gwenodd wrtho'i hun wrth wylio'r cwpwl yn
cusanu'n angerddol, a meddyliodd tybed sut beth
oedd cael eich cusanu fel'na.

Cafodd goleuadau'r caffi eu cynnau'n sydyn. 'Ti'n
dal fan hyn?' meddai Dad.

Gwelodd Joe y cwpwl yn dod â'u coflaid i ben, ac
yn y golau sylwodd mai Mimi a Dariusz oedd yno.
Teimlai fel pe bai ei galon wedi hollti'n ddwy.

PEDWAR DEG CHWECH

Cafodd Gwen syndod o weld Joe yn ei thŷ mor gynnar y bore wedyn. Edrychodd dros y rhestr a roddodd iddi.

"O, dw i'n cofio Dai Gwynn," meddai hi, "os mai'r un Dai oedd e."

"Falle galle'r llyfrgell helpu?" meddai Joe.

"Gallai. Prosiect bach i fi," atebodd Gwen. "Fe ofynna i i ambell un 'fyd. Byddai Lilly Matthews yn nabod rhai o'r rhain, dw i'n siŵr."

"Diolch, Gwen," meddai Joe, yna meddyliodd am rywbeth. "O, ac oeddech chi erioed yn nabod rhywun o'r enw Joni Corbett?'

"Oeddwn. Fe oedd tad Natalie. Ti'n gwbod, ffrind dy fam – mab Natalie yw dy ffrind di sydd wastad yn stwffio'i wyneb."

Trodd stumog Joe, fel pe na bai wedi bwyta ers dyddiau. "Combi?"

"Dyna ti," meddai Gwen. "Beth sydd o'i le, Joe? Ti wedi mynd yn welw i gyd."

"Dim byd."

Allan ar y stryd anadlodd Joe yn ddwfn. Ei ffrind gorau, Combi – yn ŵyr i fwli; bwli a fuodd yn gas gyda Nonno mewn cyfnod mor anodd. Wyddai e ddim beth i'w wneud – yn sydyn roedd popeth yn mynd o'i le.

Pan gyrhaeddodd Joe yn ôl i'r caffi gwelodd ei fod yn llawn cwsmeriaid yn bwyta. Roedd Mam y tu ôl i'r cownter. Meddyliodd Joe pa mor drist yr edrychai.

"Haia, Mam," meddai. "Sorri am neithiwr."

"Mae'n iawn," atebodd hithau. "Gwranda, Joe, ro'n i am i ti fod y cynta i glywed ... Dw i wedi derbyn cynnig Mr Malewski."

Nodiodd Joe a syllu o'i gwmpas ar y cwsmeriaid yn mwynhau eu cinio. Gwenodd Tudur arno wrth iddo droelli spaghetti ar fforc. *"Buonissimo."*

"Sorri," meddai Mam.

Gallai Joe synhwyro y byddai'n crio pe bai'n aros. "Mae'n ocê." Penderfynodd na allai rannu'i syniad â

Mam y foment honno.

"O, a ma Nonno'n dod adre," meddai.

"Pryd?"

"Mewn rhai dyddiau."

"Mam, paid â sôn wrtho fe ynglŷn â gwerthu. Dim eto."

"Fydd e ddim yn syndod iddo fe, Joe."

"Falle, ond jest dim am nawr, ocê?"

"O'r gorau."

Gwyliodd Joe Nonno'n bwyta'r pasta'n araf. Roedd e eisiau dweud wrtho ei fod wedi darganfod mai disgynnydd Joni Corbett oedd ei ffrind gorau, ond doedd hwnnw ddim yn ddarganfyddiad pleserus, yn enwedig o'i ychwanegu at y newyddion fod Mam wedi derbyn cynnig Mr Malewski, heb sôn am y ffaith fod Dariusz yn gariad i Mimi.

"Ddwedodd Mam wrtha i dy fod di'n dod gartre," meddai.

"Dw i'n edrych ymlaen at hynny."

"Fi hefyd."

"Wrandewaist ti ar y tâp, Joe?"

"Do, a ro'n i eisie clywed popeth am yr hyn ddigwyddodd wedyn."

Sychodd Nonno'i geg. "O'r gorau."

"Aros funud," meddai Joe. "Dw i eisie'i recordio fe."

PEDWAR DEG SAITH

Roedd Joe ar goll ynghanol ei feddyliau wrth iddo gerdded a gwrando ar ei iPod.

Yn sydyn, plyciwyd un o'i glustffonau allan. "Gwrando ar opera eto?" gofynnodd Combi.

Syllodd Joe arno a chipiodd y glustffon yn ôl.

"Sut ma fy Mimi i?" gofynnodd Combi.

"Dim dy Fimi di yw hi."

"Be sy'n bod arnat ti?"

"Be sy'n bod arna i yw 'mod i'n gwbod pwy o'dd dy dad-cu di."

"A?"

"Roedd Joni Corbett yn ddyn cas."

"Wnes i erioed gwrdd â fe."

Taflodd hyn Joe am eiliad. "Wel, roedd e'n fwli."

"Sut ti'n gwbod?"

"Dw i'n gwbod. Dw i wedi clywed y cyfan," meddai Joe. "Roedd Nonno'n brwydro i gadw'r caffi i fynd, a doedd dy dad-cu di'n ddim mwy na chachgi oedd yn gwneud ei fywyd e'n ddiflas."

"Be sy 'da hynny i'w wneud â fi?" gofynnodd Combi.

"Be sy 'da fe i'w wneud â ti?" Syllodd Joe arno. "Cer o 'ma, Combi, a paid â dod yn agos at y caffi byth eto."

Trodd a cherdded i ffwrdd, ond y cyfan a welai Joe oedd y sioc a'r dolur yn llygaid Combi.

PEDWAR DEG WYTH

Pan gyrhaeddodd Joe yn ôl i'r caffi aeth i fyny i ystafell Nonno a rhoi CD opera yn y peiriant er mwyn tynnu'i feddwl oddi ar Combi. Clywodd gnoc wrth y drws. "Helô?" meddai.

Daeth Mimi trwy'r drws a neidiodd calon Joe. Stopiodd y gerddoriaeth a phwyntio at y tapiau. "Dw i wedi cael mwy o'r stori gan Nonno."

Daeth Mimi draw ac eistedd yn ei ymyl. "Wyt ti'n iawn, Joe? Welais i ddim ohonot ti amser cinio."

"Ro'n i'n brysur ... dw i wedi cael y syniad 'ma."

"Ti a dy syniadau gwallgo." Gwenodd Mimi arno a chydio yn ei law. "Mae'n bryd i fi adael, Joe."

"Na. Paid â mynd," meddai.

"Dw i'n meddwl mai dyna fyddai orau – i bawb."

"Ma Mam wedi gwerthu'r caffi – i Mr Malewski."

"Dw i'n gwybod," meddai Mimi. "Ti'n gweld, Joe, fe ddes i yma ar ôl i Nonno ofyn i fi ddod, ond fe ddes i i helpu fy hunan hefyd. Fedra i ddim dod o hyd i waith yn yr Eidal felly fe ddes i fan hyn."

"Ond ma hynny'n iawn," meddai Joe. "Dyna'n union wnaeth tad Nonno."

"Ie, ond heddiw fe ffoniodd fy ffrind i ddweud bod swydd i fi, yn Llundain. Mewn cegin. Ma dy fam yn gwerthu'r caffi felly dw i am gymryd y swydd a mynd."

Fedrai Joe ddim anghofio'r olygfa o Mimi'n cusanu mab Mr Malewski. "Ond ... ond beth am Dariusz?"

"Dariusz?"

"Nagwyt ti'n ei garu fe?"

Chwarddodd Mimi. "O, Joe, Joe. Dim ond cusan fach oedd honna – dw i'n meddwl eich bod chi'n ei alw fe'n *lapswchan*?"

Am gusan fach, meddyliodd Joe.

"Dw i'n ei hoffi fe, ydw," meddai Mimi. "Mae e'n gweithio'n galed ... a dw i'n hoffi'r cawl mae e'n goginio, ond mae angen i fi gael swydd nawr – dw i angen gweithio."

Edrychodd Joe allan trwy'r ffenest a gwelodd y lleuad, yn fawr ac yn llawn; daliodd ei olau yng ngwallt

Mimi a chofiodd Joe fod y tenor yn *La Bohème* yn gweld Mimi am y tro cyntaf yng ngolau'r lleuad, pan oedd ei channwyll hi wedi'i diffodd.

"Oeddet ti wir yn hoffi'r pasta y gwnes i ei goginio y noson o'r blaen?" gofynnodd Joe.

"Oeddwn," meddai Mimi. Gwenodd a chyffwrdd yn ei wyneb. Roedd ei llaw yn oer a meddal. "Ti'n gwybod, Joe, un diwrnod fe fyddi di'n gwneud rhywun yn hapus iawn."

Pwysodd ymlaen a'i gusanu ar ei foch.

Meddyliodd Joe iddo glywed sŵn cerddoriaeth, fel diweddglo opera drasig, ond sylweddolodd nad oedd y peiriant CDs yn chwarae.

Unwaith iddo gael ei adael ar ei ben ei hun gwrandawodd ar act olaf *La Bohème*. Dechreuodd yn llawn hapusrwydd, gyda'r pedwar myfyriwr yn chwarae-ymladd, ond yna cyrhaeddodd Mimi. Roedd hi'n sâl iawn. Roedd Rodolfo, a oedd yn ei charu, yn meddwl mai dim ond angen gorffwys oedd hi ac y byddai hi'n well, ond roedd ei ffrindiau eisoes yn gwybod ei bod hi'n marw.

Roedd e'n rhy drist, ac wrth i'r opera orffen claddodd Joe ei wyneb yn y gobennydd.

PEDWAR DEG NAW

Bwytodd Nonno'r bwyd y daeth Joe iddo wrth iddyn nhw eistedd yn lolfa ward yr ysbyty.

"Ti'n edrych yn gymaint gwell, Nonno."

"Y bwyd yw e, Joe," meddai Nonno. "Ma bwyd da mor bwysig." Sychodd ei geg ac yfed llymaid o ddŵr. "Fe ddwedodd dy fam fod mam Combi wedi siarad â hi ynglŷn â chi'ch dau'n cwmpo mas – am beth?"

Cafodd Joe deimlad gwael ynglŷn â'r hyn fyddai Nonno'n ei ddweud. "Dw i ddim yn siarad 'da fe."

"Pam hynny?"

"Wnei di fyth ddyfalu," meddai Joe, "ond fe ddes i i wybod ei fod e'n ŵyr i Joni Corbett."

"Ydy, dw i'n gwbod. A?"

"Ro't ti'n gwbod? Wel, ma 'na waed drwg rhyngon ni nawr, a dw i wedi dweud hynny wrtho fe."

Gwelodd Joe rywbeth yn llygaid Nonno na welodd erioed o'r blaen – roedd e'n grac, yn grac gydag e. "Beth sydd gyda hyn i'w wneud â Combi, neu'i fam e?"

"Ond roedd ei dad-cu e wedi dy fwlio di, Nonno. Fe wthiodd e dy gert di drosodd. Roedd e'n mynd i roi crasfa i ti, oni bai bod mam Gwen wedi dod pan wnaeth hi. A dw i'n amau mai fe dorrodd ffenest y caffi."

"Fe adroddais i hanes y caffi wrthot ti, Joe – hanes fy mywyd i. Fe ddwedes i wrthot ti am Joni Corbett gan ei fod e'n rhan o 'mywyd i bryd hynny. Wyt ti'n credu nad ydw i erioed wedi ymddwyn yn wael? Wrth gwrs fy mod i. Dw i wedi gwneud pethe dw i'n eu difaru ..."

Ceisiodd Joe siarad, ond cododd Nonno'i law.

"Fe ddweda i rywbeth wrthot ti am Joni Corbett sy ddim ar y tapiau 'na, Joe. Fe ymunodd e â'r fyddin ac fe ymladdodd e yn rhyfel Korea ac yng Ngogledd Iwerddon. Un diwrnod, fe ddaeth e mewn i'r caffi i ddweud hwyl fawr wrtha i, gan ei fod e'n mynd i ffwrdd i ymladd. 'Dy'n ni erioed wedi siarad am hyn,' medde fe wrtha i, 'ond ma 'da fi gywilydd am y ffordd y gwnes i dy drin di adeg y rhyfel.' Fe ddwedes i fod y gorffennol yn y gorffennol. Fe ysgydwon ni ddwylo ac fe ddwedes i wrtho fe am ofalu amdano'i hun."

Cymerodd Nonno anadl ddofn. "Rai misoedd yn ddiweddarach cafodd Joni ei ladd mewn brwydr, ac roedd ei wraig e'n feichiog gyda mam Combi ar y pryd. Roedd yr hyn wnest ti'n anghywir, Joe. Dw i wedi fy siomi."

Ceisiodd Joe siarad ond fedrai e wneud dim byd mwy na sibrwd.

"Sorri, Nonno."

"Cer i wneud yn iawn am y peth, nawr."

PUM DEG

Roedd hi'n bwrw glaw pan gurodd Joe ar ddrws ffrynt tŷ Combi. Ei fam, Natalie, agorodd y drws. "O, ti sy 'na. Wedi dod i ladd ar rywun arall o fy nheulu i, do fe?"

"Na, Mrs Morris. Ma angen i fi weld Combi."

"Dw i ddim yn siŵr a oes 'da fe ddiddordeb, Joe," meddai Natalie. "Roedd e wedi'i ypsetio'n lân. Dim ond lladd sombis ma fe wedi bod yn neud ers hynny, a'r peth sy'n achosi'r mwya o bryder i fi – ma fe wedi colli'i chwant bwyd."

"Plis," meddai Joe.

"Fe af i i weld a ddaw e lawr."

Aeth Natalie i fyny'r grisiau, ac arhosodd Joe yn nerfus. Roedd e eisiau i bethau fynd yn ôl fel roedden nhw, ond pan welodd hi'n dod i lawr y grisiau gwyddai na fydden nhw.

"Sorri, Joe," meddai hi, "ond dyw e ddim eisie dy weld di."

Pan gyrhaeddodd Joe y Stryd Fawr safodd gyferbyn â'r caffi a oedd ar gau. Roedd hi'n dywyll. Ceisiodd ei ddychmygu fel bwyty Pwylaidd.

"Pam ti'n edrych mor drist, Joe?" gofynnodd Marta, wrth ddod allan o siop Mr Malewski.

"Ma dy dad yn lwcus," atebodd Joe.

Gwthiodd Marta'i gwefus waelod allan. Daliodd mewn selsig wedi'u becynnu. "Hoffet ti drio rhai?"

"Na, dim diolch."

"Plis, Joe," meddai hi. "Tria nhw. Os wyt ti'n eu hoffi yna bydd mwy o bobl yn trio'n cynnyrch ni a byddwn ni'n gwerthu mwy ... Busnes da, ti'n gweld."

Wrth i Joe gymryd y selsig diffoddodd y golau yn y siop.

"O, be sy wedi digwydd?" meddai Marta. "Mae'n rhy gynnar i ni gau." Aeth Joe mewn i'r siop, ond sylwodd fod yr holl siopau eraill wedi mynd yn dywyll hefyd. Roedd yr holl beth yn iasol, fel pe bai'r dref i gyd wedi marw'n sydyn.

Daeth Marta allan. "Toriad trydan," meddai. "Gwael i fusnes."

Cerddodd Joe rownd y gornel, i lawr yr ali ac i iard gefn y caffi. Aeth i mewn i'r gegin dywyll. Roedd hi'n dawel, ac aeth i deimlo'n fwy anniddig. Efallai fod Mimi wedi mynd yn barod. Clywodd sŵn traed trwm o'r llofft uwch ei ben, ac yna rhuthrodd Mam i lawr y grisiau â'i chot wedi'i hanner gwisgo.

"Mam?"

Edrychai'n wyllt. "Dy dad." Rhedodd heibio iddo tuag at y drws cefn. "Ma fe wedi cael dolur."

PUM DEG UN

Syllodd Joe ar Dad yn gorwedd ar wely yn yr ysbyty ac wedi'i gysylltu at fonitor. Roedd hi'n eironig, meddyliodd, fod ei dad wedi gweithio gyda gwifrau a cheblau gydol ei fywyd, ond nawr edrychai fel pe bai'r peiriant yn cael ei wefru ganddo ef.

"Glyn," meddai Mam.

Agorodd Dad ei lygaid a gwenu'n addfwyn. "Nawr dw i'n gwbod sut deimlad yw cael sioc drydan," meddai. "Dw i'n teimlo embaras proffesiynol!"

"Ond ti'n fyw," meddai Mam, "a dyna'r cyfan sy'n bwysig."

"Ro'n i'n meddwl," meddai Dad, "gan fod Nonno

mewn 'ma ar hyn o bryd hefyd, os daw rhywun arall o'n teulu ni i'r ysbyty bydd pobl yn dechre siarad. Felly byddwch chi'ch dau'n ofalus, er mwyn dyn."

Dechreuodd Joe a Mam grio.

"O, peidiwch â mynd yn Eidalaidd i gyd," meddai Dad, gan wneud iddyn nhw grio hyd yn oed mwy.

Arhosodd Joe gyda Dad ac aeth Mam i weld Nonno ac i drafod gyda'r nyrsys yr hyn fyddai ei angen ar ei thad wrth ddychwelyd adre.

"Dw i wedi bod yn meddwl tipyn," meddai Dad.

"Am beth?"

"Ma 'da ti ysbryd dy dad-cu, Joe," meddai. "Dw i'n edmygu hynny, fel ro'n i'n edmygu Beppe pan ddes i i'w nabod e gynta. Ac fe ddweda i rywbeth wrthot ti ... rhywbeth dw i erioed wedi dweud wrth dy fam – pan ddechreuodd y caffi fynd i drafferthion gan nad oedd e'n gwneud arian, roedd rhan ohona i'n falch."

"Yn falch?"

"Ie, achos roedd gyda fi rywbeth i'w gynnig, ti'n gweld. Roedd ar rywun fy angen i – nid bod dy fam na Beppe wedi neud i fi deimlo nad oedden nhw fy eisie i. Rhywbeth yn ymwneud â dynion o 'nghenhedlaeth i, am wn i. Roedd yn rhaid i fi gael pwrpas. Pan eisteddwn i wrth y bwrdd, 'nôl yn y dyddie cynnar, do'n i ddim yn teimlo 'mod i'n cyfrannu. Felly pan ddechreuodd y cwsmeriaid gadw draw a phan aeth yr arian yn y til yn brinnach ac yn brinnach, ro'n i'n teimlo bod gen i werth."

"Dyna'r cyfan dw i'n trio'i neud, Dad."

"Dw i'n gwbod, Joe. Ond bydd yn amyneddgar gyda dy fam."

"Dw i'n meddwl y bydda i'n falch pan fydd y cyfan drosodd nawr, Dad, a'r caffi wedi'i werthu."

"Fe driest ti, Joe. All neb dy farnu di am drio."

Yn sydyn, teimlodd Joe yn flinedig ac yn llwglyd iawn.

PUM DEG DAU

Wrth i Joe a Mam gyrraedd y Stryd Fawr daeth y trydan yn ôl, fel pe bai'r stryd gyfan wedi dod yn ôl yn fyw.

"Ti'n llwglyd, Mam?" gofynnodd Joe wrth iddyn nhw fynd mewn i'r gegin.

Agorodd Joe y rhewgell a gwelodd y selsig a roddodd Marta iddo. Tynnodd un allan a thorri darn ohoni. Blasai'n fyglyd ac yn sbeislyd. Roedd e'n hoffi'r blas, a chofiodd am yr hyn ddywedodd Marta – po fwyaf o bobl oedd yn hoffi cynnyrch Pwylaidd a chynnyrch o wledydd eraill yn Nwyrain Ewrop, mwya byddai'r busnes ar ei ennill. "Fel bwyd Eidalaidd," meddai wrtho'i hun.

Ar ôl iddo fwyta'i swper gwrandawodd ar ychydig o opera. Dewisodd hoff gorws Nonno gan Verdi. Cafodd y gerddoriaeth effaith ryfedd ar Joe – fel pe bai'n cael ei drawsgludo i le ac amser gwahanol. Roedd y bobl oedd yn canu fel pe baen nhw'n drist ond yn benderfynol, a gwnâi iddo deimlo'n falchach o Nonno nag erioed, rywsut. Yn ddiweddarach, aeth i fyny'r grisiau i wrando ar weddill tâp olaf Nonno, ond pan aeth i'w ystafell gwelodd fod Mam yn eistedd wrth y recordydd tâp. Roedd ei llygaid yn llawn dagrau. "Mam. Be sydd o'i le?"

"Fe wrandewais i arnyn nhw, Joe. Y tapiau."

"Ma nhw'n wych, yn tydyn?"

"Wrth gwrs eu bod nhw," meddai hi. "Ro'n i'n gwbod y stori, ond ma gwrando ar lais Nonno ar y tapiau 'na wedi cael effaith arna i. Am wn i 'mod i wedi cau'r cyfan allan o fy meddwl i dros yr holl flynyddoedd 'ma."

Eisteddodd Joe yn ei hymyl. "Pam?"

"Roedd e'n fy atgoffa i o bwysigrwydd y tŷ 'ma, ac roedd hynny'n ei gwneud hi'n anoddach i fi werthu. Ro'n i'n methu dileu'r gorffennol – fyddwn i ddim eisie gwneud, ond ro'n i'n teimlo dyletswydd tuag at fy nhad, fy mam a fy nhad-cu i gadw'r lle i fynd o achos yr hyn ddigwyddodd iddyn nhw."

Daeth dagrau ffres i'w llygaid.

"Ond fe *wnest* ti redeg y caffi, Mam," meddai Joe.

"Do, ac edrycha be ddigwyddodd – dyma fe'n marw'n araf."

"Ond nid dy fai di oedd hynny, Mam. Fe ddwedodd Nonno hynny'i hun – ma pobl yn aros gartre y dyddie 'ma, a'r dirwasgiad a phopeth."

Ysgydwodd Mam ei phen. "Ma Nonno'n dod gartre fory. Ma fe'n sâl iawn. Buodd bron i dy dad farw a dyw e ddim yn gallu mynd 'nôl i'r gwaith – pwy a ŵyr pryd gallith e. Ma'r cyfan yn dibynnu arna i nawr."

"A fi," meddai Joe. "Byddwn ni'n iawn, Mam, ac ry'n ni'n mynd i werthu'r caffi, cofia. Y cyfan allwn ni neud yw cario 'mlaen, fel y gwnaeth Nonno a'i fam bryd hynny. Cario 'mlaen hyd y diwedd, heblaw ..."

"Heblaw beth?"

"Wel ... fe ges i'r syniad 'ma, Mam."

Caeodd hi ei llygaid am eiliad. "Dere 'mlaen 'te, dere i fi gael clywed."

"Ddim fan hyn, Mam."

Aeth â hi i lawr y grisiau ac i'r caffi.

"Pam ry'n ni wedi dod mewn fan hyn?" gofynnodd hi.

Roedd Joe'n meddwl mai dyma'r lle gorau i ddweud wrthi felly gwnaeth ddiod boeth i'r ddau ohonyn nhw ac fe eisteddon nhw mewn bwth.

Wrth i Joe esbonio'i syniad paratôdd ei hun i'w

chlywed hi'n dweud na. Doedd hi ddim yn edrych yn flin, ond doedd hi ddim yn edrych wedi'i phlesio chwaith.

"Bydde hyn i Nonno," meddai. "Ddim i ni, na'r caffi, ond i Nonno. Yna bydd y lle wedi'i werthu a'r cyfan drosodd. Fe orffennwn ni mewn steil."

Syllodd Mam allan ar y stryd. Dilynnodd Joe drywydd ei llygaid, ond y cyfan a welodd oedd y diferion glaw yn sgrialu i lawr y ffenest. "Dw i'n gwbod bod Nonno wedi talu i Mimi ddod draw 'ma," meddai Mam. "Ro'dd hynna'n dweud wrtha i ei fod e eisie rhoi un tro arall arni, ac fe wnawn ni."

"Y peth yw, Mam," meddai Joe, "bydd angen help Mimi arnon ni."

"Dw i'n gwbod."

"Ond ma hi newydd gael swydd yn Llundain."

"Gawn ni weld os yw hi'n fodlon aros ychydig yn hirach, er mwyn ein helpu ni gyda hyn," meddai Mam. "Ma hi wedi'n helpu ni'n barod, dw i'n gweld hynny. Ro'n i'n gwrthwynebu'i chael hi 'ma i ddechre. Ma hi mor hyderus – a dw i ddim yn golygu wrth goginio yn unig. Does dim modd ei hatal hi. Pan ro'n i ei hoed hi ro'n i jest yn potsian fan hyn a fan draw – doedd dim syniad 'da fi be ro'n i'n neud, ond ma hi'n anhygoel. Ro'dd hi'n iawn am y brecwast a'r coffi. Wnes i ond dadlau 'nôl achos 'mod i'n teimlo o dan

231

fygythiad. Gwirion, dw i'n gwbod. Ro'n i hyd yn oed yn teimlo o dan fygythiad gyda Mr Malewski – fi, wyres i fewnfudwr – pan mai'r cyfan ma fe'n neud yw ennill bywoliaeth i'w deulu, yn union fel gwnaeth fy nhad-cu i."

Gwenodd ar Joe. "Ti'n gwbod pan goginiaist ti'r pasta 'na y noson o'r blaen ..."

"*Puttanesca.*"

"Ie ... ro'n i'n genfigennus."

"Cenfigennus, ohona i?"

"Ie, mewn ffordd," meddai Mam. "Fe wyliais i ti'n coginio. Ro't ti'n canolbwyntio mor galed, ro'n i'n poeni amdanat ti."

"Ro'n i eisie iddo fe flasu'n dda."

"Roedd e. Ro'n i'n arfer gwylio fy mam i'n coginio, ond doedd gen i 'mo'r hyder i ofyn iddi ddangos i fi sut oedd gwneud, ddim yn iawn. Yna pan fuodd Mam farw fe gymerodd Nonno drosodd gyda'r coginio. Roedd e'n mwynhau, felly fe adewais iddo fe wneud. Roedd gen i ormod o embaras i drio coginio unrhyw beth o flaen Mimi."

"Ond ti'n *gallu* coginio, Mam."

"O, ie – bysedd pysgod, a dyna ni!"

"Dw i'n dwlu ar dy fysedd pysgod di."

"Wyt, dw i'n siŵr."

"Dw i yn! Dyna fy hoff bryd i."

Aeth gwefusau Mam yn dynn. "Diolch, cariad." Rhoddodd gusan iddo. "Ond fe ddweda i wrthot ti be sy'n fy mhoeni i ..."

"Be?"

"Nid faint fydd y syniad 'ma sy gyda ti yn costio ..." Syllodd arno i fyw ei lygaid. "Yr hyn sy'n fy 'mhoeni i ... yw'r ffaith y byddi di, ar ôl i'r caffi 'ma gael ei werthu, wedi digio gyda fi."

"Na, Mam," meddai Joe. "Ma Nonno'n gweld bod dyddie'r caffi wedi dod i ben. Os yw pethe drosodd, ma nhw drosodd. Dw i'n gweld hynny nawr."

Cydiodd Mam yn ei law. "Fe wnawn ni'r peth 'ma," meddai. "Ma fe'n syniad hyfryd."

"Diolch, Mam," meddai Joe. Roedd e'n falch. "Beth am wrando ar damed o opera gyda'n gilydd?"

"O, dim byd rhy drist, cofia."

Cododd Joe ar ei draed ac aeth at y chwaraewr CD. "Fe chwaraea i'r corws 'ma gan Verdi ma Nonno'n ei hoffi, o *Nabucco*. Ma fe'n hyfryd. O, a dw i'n mynd i sgwennu at Bryn, Mam."

"Pwy?"

"Bryn Williams."

"Pam?"

"I gael cyngor, Mam."

"Reit, o'r gorau," meddai hi.

Dechreuodd gorws *Va pensiero*.

"O, dw i'n nabod hwn," meddai Mam. "Ma fe'n hyfryd, ond paid â dweud wrtha i eu bod nhw i gyd ar fin marw?"

"Na, Mam – ma nhw'n canu ynglŷn â'u cartre."

Cydiodd Joe yn llaw Mam wrth iddyn nhw wrando ar y gerddoriaeth brydferth.

PUM DEG TRI

"Dw i'n falch dy fod di'n gallu aros i'n helpu ni, Mimi," meddai Joe wrth iddyn nhw gerdded ar hyd y stryd gefn.

"Dw i eisie helpu," meddai hi. "Mae e'n syniad grêt."

Stopiodd Joe o flaen un o'r drysau cefn. "Dyma ni."

"Ti'n siŵr fod hyn yn mynd i weithio, Joe?"

"Os yw e'n cytuno, fe wna i'r gweddill."

Sleifiodd y ddau i'r iard gefn. Roedd gweddillion hen foelers gwres yno, yn ogystal ag ambell biben wedi'i thaflu yma ac acw. Gallai Joe weld bod golau ynghynn yn un o'r ystafelloedd i fyny grisiau. Cododd garreg a'i thaflu at y ffenest, yna cuddiodd y tu ôl i ddau fin mawr.

Ddigwyddodd dim byd.

Ceisiodd Joe eto. Y tro hwn gwahanodd y llenni ac agorodd Combi'r ffenest, yn wên o glust i glust fel pe bai wedi ennill y loteri. "Mimi!"

"Helô, Combi," meddai hi.

"Pam na ddest ti trwy'r ffrynt?"

Oedodd Mimi.

"Ma fe'n fater preifat," sibrydodd Mimi. "Ynglŷn â Joe."

"O," meddai Combi. "Dw i ddim yn siarad 'da fe."

"Dw i'n gwbod," meddai Mimi. "Fe ddywedodd e wrtha i am yr hyn ddwedodd wrthat ti. Roedd e'n wael iawn, Combi."

"Oedd. Dyw e jest ddim yn cŵl – *ddim-yn-cŵl-issimo*.

Gwasgodd Joe ei ên.

"Mae'n wir ddrwg gyda fe, Combi," meddai Mimi.

"Fe ddylai bod," atebodd Joe. "Wedi'r cyfan, does gan yr hyn wnaeth fy nhad-cu i ddim byd i'w wneud â fi, nagoes?"

"Na."

"Aeth e 'mlaen a 'mlaen am y peth – doedd e ddim yn deg o gwbl."

"Combi! Gyda phwy ti'n siarad?" galwodd rhywun

o'r tu mewn.

"Merch brydferth yn yr iard gefn, Mam!" Gwenodd ar Mimi.

Ochneidiodd Joe.

"Beth oedd hynna?" gofynnodd Combi.

"Cath, dw i'n meddwl," meddai Mimi.

"Swnio mwy fel ci," meddai Combi. "Ddwedodd Joe wrthot ti 'mod i'n gallu coginio?"

"Na," meddai Mimi. "Rwyt ti'n coginio?"

"O ydw, dwi'n gogydd a hanner," meddai Combi. "Wastad yn gwylio rhaglenni coginio. Ti'n gweld, dw i'n Gymro-Affro-Garibïaidd, felly dw i'n hoffi cyw iâr Cajun, cyrris a ... pice ar y maen. Bydd yn rhaid i ti ddod draw am fwyd rhyw noson. Dim ond ti."

"Fe wna i," meddai Mimi, "os gwnei di faddau i Joe."

"Dw i ddim yn siŵr am hynny."

"Ddim hyd yn oed er fy mwyn i, Combi?"

"Fe wna i os ca i ginio am ddim yn y caffi gyda ti, Mimi – dim ond ti, ac os yw Joe wir yn sorri."

"O, ma fe," meddai Mimi. "A iawn, fe goginia i ginio i ti, ond rhaid i fi fynd nawr."

Cusanodd Combi ei fysedd a thaflu ei gusan draw i gyfeiriad Mimi, ac fe chwythodd hi gusan yn ôl. Dilynodd Joe hi allan. Roedd e eisiau sgrechian, ond arhosodd nes ei fod yn ddigon pell.

PUM DEG PEDWAR

Safodd Joe, Combi a Bonner o flaen y wraig yn y dderbynfa.

"Ma'r Cynghorydd Morgan yn ddyn prysur iawn," meddai hi.

Roedd Joe'n meddwl ei bod hi'n bod braidd yn ffroenuchel. "Ma fe'n fater pwysig."

"Pwysig," ailadroddodd Bonner.

"Pwysig-*issiomo*," meddai Combi. "Pwysig iawn yw hynna mewn Eidaleg."

Pwyntiodd Joe ato a nodio. "Ma fe'n bwysig."

"Ma fe mewn cynhadledd ar hyn o bryd," meddai'r wraig.

"Gallwn ni aros," meddai Joe. Trodd ac eistedd ar sedd gyferbyn â desg y derbynnydd. Eisteddodd Combi a Bonner y naill ochr iddo.

"Beth yw ei phroblem hi?" sibrydodd Combi. "Ydyn ni'n drewi neu rywbeth?"

Edrychodd Joe arno. "Diolch am ddod," meddai. "Ti'n gwbod ... ar ôl yr hyn ddigwyddodd ..."

"Dw i ddim eisie siarad am y peth," meddai Combi. "Dw i yma a dyna ni."

"Wel, dw i'n sorri," meddai Joe.

"Fe ddylet ti fod."

"Dw i yn."

"Ro't ti'n *ddrwg-issimo*."

"Ro'n i'n meddwl bo' ti ddim eisie siarad am y peth," meddai Joe.

"*Cywir-issimo*," meddai Combi.

Trodd Bonner at Joe. "Ddwedodd Mimi wrthot ti 'mod i ond yma gan ei bod hi wedi gofyn i fi?"

"Do."

"Mrs Bonner y dyfodol fyn'na, dw i'n dweud wrthoch chi."

Crynodd Joe wrth feddwl am y peth.

Pwysodd Combi'n agos ato. "Beth ddwedodd e am Mimi?"

"Roedd e'n gofyn amdani."

"Pe bai e ond yn gwbod," meddai Combi.

239

"Gwbod be?" gofynnodd Joe.

"Am Mimi a fi ... Dw i'n edrych 'mlaen at fy nghinio *am ddim* gyda hi."

Nodiodd Joe yn swta.

"O, a gyda llaw," meddai Combi. "Y tro nesa y byddi di'n cuddio yn fy iard gefn i, tria beidio gwisgo treinyrs sy'n goleuo yn y tywyllwch."

"Iawn," meddai Joe. Roedd e'n ysu am gael newid trywydd y sgwrs felly dywedodd wrth y derbynnydd, "Ma Caffi Merelli'n gwneud cinio nawr."

"Wir?" meddai hi heb edrych i fyny.

"Bwyd hyfryd," meddai Bonner.

"Hyfryd," meddai Combi. "Gwell na'r Cwt Ffowls, hyd yn oed."

"Diolch," meddai Joe.

Ochneidiodd y derbynnydd a chodi'r ffôn. "Dydyn nhw ddim wedi mynd," sibrydodd. "Na ... tri bachgen ..." Yna rhoddodd y ffôn i lawr a dweud wrthyn nhw, "Fe welith e chi nawr."

Safodd y Cynghorydd Rhys Morgan ar ei draed wrth i'r bechgyn gerdded i mewn i'w swyddfa â phaneli derw.

"Wastad yn bleser cwrdd â ieuenctid yr ardal," meddai wrth gynnig ei law i bob bachgen yn ei dro. Roedd e'n gwenu hyd nes i Bonner wasgu'i law yn dynn a gwneud iddo wingo.

"Nawr 'te, sut alla i eich helpu chi, ŵyr ifanc?"

"Ma'r Stryd Fawr yn marw," meddai Joe.

"Marw," ailadroddodd Combi.

"Ydy, mae'n adlewyrchiad trist o'n cyfnod ni," meddai'r cynghorydd wrth edrych ar ei oriawr. "Ac, wrth gwrs, mae ein harferion siopa ni'n esblygu – siopau ar-lein, archfarchnadoedd ar-lein ..."

"Reit," meddai Joe. "Ond ma angen man canol ar bobl, neu does dim pwynt cael tref, oes e? Neu man a man i ni fyw mewn podiau ac agor y drws i dderbyn nwyddau yn unig. Dim rhyngweithio, dim cymuned ..."

O gornel ei lygad gallai Joe weld bod Combi'n pwyntio ato ac yn nodio. Edrychai'r cynghorydd arnyn nhw mewn penbleth. "Y rheswm y daethon ni i'ch gweld chi," meddai Joe, "yw er mwyn trio gwneud rhywbeth ynglŷn â hynny."

"Da iawn," meddai'r Cynghorydd Morgan. "Fe ei di'n bell."

"Ma diwrnod cofio VE cyn hir."

"Ydy!" meddai'r cynghorydd.

"Ydych chi'n gwbod pryd ma fe?" gofynnodd Bonner.

"Wrth gwrs," atebodd y cynghorydd.

Arhosodd Joe, Combi a Bonner. Dechreuodd gwên

barhaus y cynghorydd bylu. "Atgoffwch fi."

"Mai'r wythfed."

"Dyna ni," meddai. "Ro'n i'n gwbod ei fod e ddechrau mis Mai."

"Dw i wedi bod yn meddwl," meddai Joe. "Fe ddylen ni wneud rhywbeth i nodi'r achlysur."

"Syniad gwych," meddai'r Cynghorydd Morgan. "Parêd o gadetiaid a sgowtiaid – y math yna o beth?"

Roedd Joe yn siomedig. "Na. Ddim o gwbl."

Ysgydwodd Bonner ei ben. "Diflas."

"*Diflas – issimo*," meddai Combi.

"Ro'n i'n meddwl mwy am ddathliad," meddai Joe. "Gŵyl fwyd i ddathlu'r holl ddiwylliannau sydd yma ym Mryn Mawr – i ddathlu rhyddid a diwedd gormes."

"Syniad hyfryd," meddai'r cynghorydd. "Ar iard yr ysgol, ie? Galla i drefnu bod cwpwl o blismyn yn rhoi help llaw."

Ysgydwodd Joe – ac yna Combi ac yna Bonner – eu pennau. "Na. Gŵyl fwyd ar y Stryd Fawr, gyda'r nos, gyda bynting, goleuadau, tân gwyllt a bwyd am ddim."

"Neis," meddai Bonner.

"Bwyd am ddim," meddai Combi. "Mmmm."

"Bwyd am ddim?" gofynnodd y cynghorydd. "Pwy fyddai'n talu amdano?"

"Wel ... chi – Cyngor Tref Bryn Mawr," meddai Joe.
Dechreuodd llygaid y cynghorydd bylu.

"O, a dw i'n meddwl y byddai angen i ni stopio'r
traffig," meddai Joe. "Allwch chi ddim cael ceir a bysys
yn mynd heibio pan fydd pobl yn blasu danteithion o
bedwar ban y byd."

"Na," meddai Combi. "Dim ceir."

"Dw i'n hoffi'r syniad o bynting a thân gwyllt,"
meddai Bonner. Pwyntiodd Joe ato a nodio.

"Cyfareddol," meddai'r cynghorydd. "Fe ei di'n bell,
Joe." Edrychodd ar ei oriawr eto. "Fe af i â'ch syniad
chi gerbron Siambr y Cyngor i gael ei ystyried ... ond,
wrth gwrs, gyda'r holl doriadau ..." Safodd ar ei draed
a'u harwain allan i ardal y dderbynfa. "Hyfryd cwrdd
â chi, fechgyn, a ... Ie, hyfryd yn wir."

Gadawodd nhw'n sefyll yno a cherdded i ffwrdd i
lawr y coridor.

Teimlai Joe'n ddigalon – wedi'i drechu cyn cychwyn
arni.

"Ma fe'n idiot," meddai Combi.

"Fe ddylet ti fod wedi gwneud cynnig iddo fe na alle
fe'i wrthod," meddai Bonner.

"Dyliwn," meddai Joe, ac yna cafodd ei daro â
syniad.

"Y Cynghorydd Morgan!" galwodd wrth redeg ar
ei ôl.

Trodd y cynghorydd. "Ma wir angen i fi fynd."

"Ond ynglŷn â'ch tad chi ma fe, y Cynghorydd Morgan," meddai Joe. "Fe ddes i o hyd i wybodaeth *hynod* ddiddorol am eich tad chi."

Twitsiodd llygad y cynghorydd.

PUM DEG PUMP

"Beth ydych chi'n feddwl, dydych chi ddim eisie ein cyw iâr arferol ni?" meddai Mr Patel.

"Ry'n ni eisie danteithion o'ch diwylliant Indiaidd cyfoethog chi."

Ysgydwodd Mr Patel ei ben. "Dim diddordeb."

"Arhoswch funud," meddai Combi. "Beth am yr holl arian ry'n ni wedi'i wario yn y Cwt Ffowls? Dydy hynny ddim yn golygu unrhyw beth?"

"Ydy," meddai Mr Patel â gwên goeglyd. "Diolch am y busnes."

Trodd Bonner at y plant a safai yn y ciw. "Reit, pawb allan!"

Trodd y plant a gadael y siop.

"Arhoswch. Arhoswch!" meddai Mr Patel mewn panig. "Beth sy'n rhaid i fi wneud?"

"Pawb 'nôl!" gweddodd Bonner.

Pentyrrodd y plant yn ôl i mewn.

"Rhaid iddo gael ei goginio'n ffres," meddai Joe wrth Mr Ling.

"Ffres? Ma fy mwyd i *yn* ffres!"

Gwenodd Joe. "Wir?"

"Edrych, does gen i ddim diddordeb," meddai Mr Ling.

"O," meddai Joe. "Wel, fyddwch chi ddim yn meindio os gosodith Mr Patel ei fwyd e mas o flaen eich siop chi, yn na fyddwch?"

"Patel?" meddai Mr Ling. "Pam na allith e gael ei fwyd e o flaen ei le fe?"

"Ma fe'n rhy bell lan y stryd," meddai Combi.

"O'r gorau," meddai Mr Ling. "Os yw Patel yn gwneud fe wna i."

"Rhoi fy mwyd am ddim?" meddai Mr Sadik. "Pam?"

"Dathlu diwrnod VE," meddai Joe. "Dy'ch chi ddim am i'r gymuned Dwrcaidd gael enw drwg, ydych chi?"

Ysgydwodd Combi ei ben.

"Mae Mr Malewski'n mynd i osod tri bwrdd o

ddanteithion. *Tri*!" meddai Bonner.

"O'r gorau. Os yw Malewski'n gwneud, fe wna i. Tri bwrdd ... Hy!"

"Dim jest kebabs," meddai Joe. "Bydde tamed o baklava yn neis, i fynd gyda'r coffi."

Gwgodd Mr Sadik.

"Yw hyn yn jôc?" gofynnodd Mr Malewski.

"Na," meddai Joe. "Diwrnod VE – nodi diwedd yr Ail Ryfel Byd yn Ewrop. Ymladdodd eich tad chi ddim yn y rhyfel?"

"Na. Rhy ifanc."

"Beth am ei dad e?" gofynnodd Bonner.

"Bwyd am ddim? Gwallgof!" aeth Mr Malewski yn ei flaen.

"Aros!" meddai Marta wrth ei thad. "Gwranda."

"Dw i wedi fy siomi, Mr Malewski," meddai Joe. "Ydych chi wedi anghofio am y noson Bwylaidd yn barod?"

"Busnes yw hyn, Joe. Alli di ddim rhoi bwyd am ddim."

"Beth pe bai pobl eraill yn dod i hoffi cynnyrch o Ddwyrain Ewrop?" gofynnodd Joe. "Meddyliwch am y peth. Mwy o ddiddordeb. Mwy o werthiant."

"Ie!" meddai Marta. "Busnes da!"

"Mae gen i ddigon o gwsmeriaid."

Chwyrnodd Marta.

"Os na chymerwch chi ran, Mr Malewski," meddai Joe, "fe dynnwch chi sylw atoch chi'ch hun mewn ffordd wael."

"Be ti'n ei olygu 'ffordd wael'?"

"Safonau masnach," meddai Combi. "Byddan nhw'n dweud, 'Pam nad yw Malewski'n rhan o'r ŵyl fwyd?' a byddan nhw'n meddwl, 'Efallai fod 'da fe rywbeth i'w guddio.' Chi'n deall?"

Nodiodd Combi, Joe a Bonner eu pennau mewn undod perffaith.

"Fe fyddwn ni 'na," meddai Marta.

PUM DEG CHWECH

Darllenodd Joe y nodiadau a ysgrifennodd. "Ma'r pryd yn mynd i fod yn dri chwrs."

"Ydy, Joe," meddai Mam wrth eistedd yn ymyl Joe a Mimi yn y caffi.

"Blasau o wahanol wledydd y byd fydd y cwrs cynta – bwyd Indiaidd, Twrcaidd, Pwylaidd, Rwsiaidd a llawer mwy – wedi'u cyflenwi gan y siopau têcawê a Mr Malewski. *Lasagne* Nonno fydd yr ail gwrs."

"*Lasagne* Nonno?"

"Ie. Ma pawb yn hoffi *lasagne*," meddai Joe. "Ges i'r rysáit oddi wrtho fe yn yr ysbyty, ond ry'n ni'n mynd i neud un gydag asbaragws ac un gyda mins cig eidion *a* phorc, sef, o be dw i'n ddeall, yr hyn ma Eidalwyr go iawn yn ei ddefnyddio." Nodiodd Mimi. "O, a hoffwn i ei goginio fe fy hunan."

"Ti?" gofynnodd Mimi.

"Ie, gyda chi'ch dau yn fy helpu i, wrth gwrs."

"Da iawn ti, Joe," meddai Mam.

"Felly ma hynny'n golygu mai ti a Mimi fydd yn gweini. Yw hynny'n iawn?"

Edrychodd Mimi a Mam ar ei gilydd. "Ydy, Joe."

"A dw i'n meddwl y dylen ni wisgo crysau gwyn a thrywsusau du."

"Gwisg unffurf?"

"Na ... cod gwisg," meddai Joe. "Bydd e'n smart. Byddwn ni'n edrych yn broffesiynol."

Rholiodd Mam ei llygaid.

"Mam!"

"IAWN, Joe. O'r gorau."

"Ac i bwdin, bydd pitsa melys a *gelato* cartre."

"Pitsa melys?" gofynnodd Mimi. "Beth yw hwnnw?"

"Combi roddodd y syniad i fi – o fath. Pitsa â stwff melys arno fe," meddai Joe. "Bydd angen i ni ymarfer yn gynta – fe ddes i o hyd i rysáit ar gyfer sylfaen pitsa arferol, ond byddwn i'n ychwanegu siwgwr ac yna pethe fel darnau o afal, banana a chnau coco ar y top."

"Swnio'n flasus," meddai Mam.

Tynnodd Mimi wyneb. "Pam na gynigiwn ni

tiramisu neu *panna cota*?"

"Achos bydd hyn yn wahanol," meddai Joe. "Dw i'n mynd i chwilio am yr hen beiriant hufen iâ er mwyn gwneud y *gelato* – ma Nonno'n dweud ei fod e yn yr atig."

"Os yw e'n dal i weithio," meddai Mam wrth afael yn rhestr wahoddedigion Joe.

"Fe ddwedodd Tudur y bydde fe'n cael golwg arno fe i fi," meddai Joe. "A, Mam, hoffwn i drwsio'r holl rwygiadau yn y seddi. Dw i wedi cael amcanbris gan ddyn trwsio dodrefn." Trodd at ei nodiadau a phwyntio at y pris. "Plis, Mam – bydde hi'n braf pe bydde popeth yn edrych yn neis 'ma."

"O'r gorau," meddai hi wrth edrych lawr ar y rhestr wahoddedigion. "Dw i'n methu credu bod enw'r Cynghorydd Morgan lawr 'ma."

"Mae'n anhygoel beth galli di ddarganfod trwy dyrchu tamed bach," meddai Joe.

"A ma fe'n dod?"

"Wel … fe wnes i gynnig iddo fe na alle fe'i wrthod."

"Fe wnest ti beth?"

"Bydd goleuadau a bynting yn mynd lan, ond doedd e'n methu addo tân gwyllt," meddai Joe. "O, ac fe ddwedodd e 'i fod e'n dod â rhywun o'r papur newydd. Cyhoeddusrwydd da, Mam. Fe ddechreua i ffonio ambell un ar y rhestr."

Cododd Joe, ond yna cofiodd rywbeth. "O, ac ma angen i ni lanhau'r waliau."

"Y waliau!"

"Ie, Mam. Ma nhw'n frwnt. Gallwn ni eu glanhau nhw ein hunain, gallwn ni?"

Edrychodd Mam ar Mimi.

"Gallwn, Joe," meddai'r ddwy.

PUM DEG SAITH

"Ma fe'n edrych fel pitsa arferol," meddai Mam wrth hofran yn nrws y caffi.

"Dyna'r syniad," meddai Joe wrth osod yr afal a'r banana wedi'u sleisio mewn patrwm rheolaidd ar sylfaen y pitsa. Edrychodd ar Mimi. Roedd hi'n parhau i dynnu corneli'i cheg i lawr. "Ond ma 'i flas yn bwysicach na'i olwg."

Yn olaf, gwasgarodd Joe flawd cnau coco dros y top. "Ma fe'n edrych fel Parmesan wedi'i gratio!"

Gwenodd Mimi a gosodon nhw'r pitsa melys yn y ffwrn.

"Joe!" galwodd Mam. "Ma fe 'ma!"

Pan aeth Joe i mewn i'r caffi gwelodd gar mawr wedi'i barcio y tu allan. Gwenodd. "Fe weithiodd 'y nghynllun i."

Camodd y Cynghorydd Morgan allan o'r car a sefyll i gael tynnu'i lun. Aeth i mewn i'r caffi gyda gohebydd a oedd yn brysur yn cymryd nodiadau.

"Gwych," meddai. "Caffi Cymreig-Eidalaidd traddodiadol."

"Eidalaidd-Gymreig, fel mae'n digwydd," meddai Joe.

Trodd y Cynghorydd Morgan at y gohebydd. "Chi'n gweld, fe ddaeth Joe â'r syniad yma ata i, ac yn syth bin roeddwn i'n gwybod ei fod e'n syniad gwych."

"Dw i o'r *Journal*," meddai'r gohebydd. "Ga i ofyn i ti, Joe—"

Torrodd cyhoeddiad ar ei draws. "*Mr Owen at Doctor Myrddin, stafell tri.*"

"Beth oedd hwnna?" gofynnodd y cynghorydd.

"Cyhoeddiadau o syrjeri'r doctor," meddai Mam.

"Esgusodwch fi," meddai Mr Owen wrth wthio heibio.

Dechreuodd Joe esbonio'i syniad wrth y gohebydd pan waeddodd Mam, "Bws i Bontypridd!"

Cododd grŵp o bobl i adael a chafodd y Cynghorydd Morgan ei gario allan gyda'r llif. Roedd Joe'n dal i esbonio'r hyn fyddai'n digwydd y noson honno wrth y gohebydd tra oedd y cynghorydd yn ceisio dod yn ôl i'r caffi.

"Beth yw'ch barn ynglŷn â hynna, Gynghorydd?" gofynnodd y gohebydd.

"Fy marn i ynglŷn â beth?" meddai'r Cynghorydd Morgan, gan sythu'i dei.

"Ad-dalu'r costau a ddaeth i ran Mr Merelli, ac eraill, wrth gynnig bwyd am ddim heno?"

"Mr pwy?"

"Mr Merelli," meddai'r gohebydd, gan bwyntio at Joe. "Joe Merelli."

Gwenodd Joe. "Joe Davis ydw i, digwydd bod, Merelli gynt."

"A, wel ..." meddai'r Cynghorydd Morgan. "Yn naturiol fe hoffai Cyngor Tref Bryn Mawr wneud popeth gallwn ni i gefnogi mentrau lleol ..."

"Ai 'ie' yw hynna?"

"Na."

"Ma system dalebau gyda ni, a phopeth," meddai Joe.

"System dalebau?" gofynnodd y gohebydd.

"Byddai pobl ag amser rhydd, gan gynnwys pobl ddi-waith," meddai Joe, "yn ennill taleb trwy weithio yn y gymuned. Yna gallen nhw gyfnewid y daleb am bryd o fwyd am ddim yn y caffi, chi'n gweld."

"Swnio'n wych," meddai Gwen. "Dw i'n

bensiynwraig a byddwn i wrth fy modd pe bai rhywun yn tacluso 'ngardd i."

"Fe wna i am gwpwl o dalebau," meddai Tudur.

Dechreuodd y cwsmeriaid eraill fwmian ymysg ei gilydd.

"Beth am hynna?" gofynnodd y gohebydd i'r cynghorydd. "Swnio'n dda i fi."

Twitsiodd llygad y Cynghorydd Morgan. "Byddai'n rhaid i fi fynd â hwn—"

"O flaen Siambr y Cyngor, dw i'n gwbod," meddai Joe. "Ac fe ges i'r syniad arall 'ma ynglŷn â gwersi coginio am ddim."

"Gwersi coginio am ddim?"

"Ie," meddai Joe. "Gallwn ni wella arferion bwyta pobl Bryn Mawr."

"Bwyd iach," meddai Mimi.

"Fel hwn," meddai Tudur wrth godi'i blât o dan drwyn y cynghorydd. "O, fe ddylech chi ei drio fe. *Cannelloni con spinaci e funghi* – sbigoglys a madarch i chi. *Buonissimo.*"

"Dw i'n eilio hynny," meddai Gwen. "*Molto buonissimo.*"

"Ma rhywbeth yn ogleuo'n neis," meddai'r cynghorydd. "Tarten afal, ie?"

"Na. Pitsa melys," meddai Joe wrth ddeialu rhif y caffi'n ddirgel ar ei ffôn symudol. Canodd y ffôn a rhoddodd bwniad i Mam.

"Helô," meddai Mam wrth ateb y ffôn. "O, arhoswch eiliad ... Joe, Bryn sy 'ma."

"Bryn? Bryn pwy?" gofynnodd.

"Bryn Williams."

"Dwed wrtho fe 'mod i'n brysur, Mam," meddai Joe. "Yn brysur gyda'r Cynghorydd Morgan."

"Ai *y* Bryn Williams sy 'na?" gofynnodd y gohebydd.

"Ie, ond fe geith e ffonio 'nôl," meddai Joe. "Nawr 'te, ynglŷn â heno ..."

PUM DEG WYTH

Roedd y gyrwyr bysys yn meddwl bod Joe'n wallgof am ofyn, ond yn dilyn galwad ffôn i'r Cynghorydd Morgan trefnwyd bod y bysys yn rhwystro'r traffig rhag cael mynediad i'r Stryd Fawr ar ôl saith o'r gloch, ac yn dargyfeirio ceir ar hyd y strydoedd cefn. Dechreuodd Mr Malewski, Dariuz a Marta osod byrddau'n llawn cynnyrch o Ddwyrain Ewrop, a gwnaeth Mr Ling, Mr Sadik a Mr Patel yr un fath â danteithion o'u siopau têcawê. Cadwodd y siopau oedd ynghau eu goleuadau ynghynn er mwyn goleuo'r stryd.

Roedd Mam a Mimi'n helpu Joe i baratoi'r bwyd ar gyfer y noson honno, a Tudur wrthi'n edrych ar yr hen beiriant hufen iâ. "Edrych yn iawn i fi," meddai.

"Diolch," meddai Joe wrth iddo roi ychydig o fêl ar y pedwar pitsa melys y bu'n brysur yn eu coginio. Safodd yn ôl ac edrych arnyn nhw fel pe bai newydd orffen peintio llun.

"Ma nhw'n hyfryd," meddai Mam.

"Gobeithio y byddan nhw'n blasu cystal â'r un y gwnaethon ni wrth ymarfer. Bydd angen iddyn nhw fynd i'r ffwrn pan fyddwn ni'n gweini'r cwrs cynta. Nawr gallwn ni ddechre ar y *lasagne*."

Arllwysodd Joe y cig i'r badell ffrio gyda'r winwns a'r garlleg, ac ychwanegodd y sbeisys.

"A chofia, Mam," meddai. "Bydd angen i Nonno fod 'ma erbyn—"

"Dw i'n gwbod, dw i'n gwbod," meddai Mam.

Clywyd sŵn taranau yn y pellter. "O, na!" meddai Joe, gan ddal ei wyneb yn ei ddwylo. "Dim glaw. Dim heno, plis."

"Cer i ffonio'r Cynghorydd Morgan," meddai Mam. "Falle gall e sortio rhywbeth."

Chwarddodd Mimi.

"Doniol," meddai Joe. "O, Tudur. Wyt ti wedi hongian y seinyddion?"

"Cyn gynted ag y bydda i wedi gorffen fan hyn, Joe," atebodd Tudur.

"Pam bod angen seinyddion?" gofynnodd Mam.

"Y gerddoriaeth."

"Cerddoriaeth?"

Gadawodd Joe Mam mewn dryswch ac aeth i gael golwg yn y caffi.

Yn lle'r holl ddarnau o dâp hyll roedd pwythau coch taclus dros y rhwygiadau yn y seddi. Roedd lliain bwrdd a chanhwyllau, yn ogystal â bwydlen osod â dewisiadau llysieuol, ar bob bwrdd.

Teimlodd Joe don sydyn o banig. "Beth os na fyddan nhw'n dod, Mam?" meddai.

"Ma fe'n swper am ddim," meddai hi. "Dyw pobl y lle 'ma ddim yn mynd i golli mas ar hynny."

"Joe!" galwodd Mimi. "Paid â gadael y bwyd!"

Rhedodd yn ei ôl. "Sorri!"

Roedd saws y *lasagne* yn goch ac yn drwchus, ac aroglai'n fendigedig. Gwnaeth y peiriant hufen iâ sŵn rhygnu isel wrth iddo gorddi ar y bwrdd. Cafodd dau dun pobi *lasagne* eu glanhau.

"Dydy'r rhain heb weld golau dydd ers tri deg o flynyddoedd, dw i ddim yn meddwl," meddai Mam.

Fe ddechreuon nhw baratoi'r ddau *lasagne* – un yn cynnwys cig ac un yn cynnwys asbaragws. Aethon nhw yn eu blaenau i osod yr haenau o gynhwysion nes bod y ddau dun pobi'n llawn. Gratiodd Joe gaws Parmesan dros y ddau a'u rhoi yn y ffwrn.

"Ffiw," meddai Mam.

"Diolch, Mam. Diolch, Mimi," meddai Joe. "Dw i'n gwerthfawrogi'ch gwaith chi a dw i'n gobeithio y bydd y cwsmeriaid hefyd."

Cusanodd Mam ef ac ar yr union eiliad honno cafwyd cnoc ar ddrws y caffi.

"Joe!" meddai Mimi. "Ma nhw yma – yr ymwelwyr cynta."

Daeth Gwen i mewn, yn gwisgo'i dillad crandiaf, a Tudur a'i fam hefyd. Aeth Mam o amgylch y byrddau a dechreuodd gynnau'r canhwyllau.

"O, pert," meddai Gwen.

Gwyliodd Joe o'r gegin wrth i fwy a mwy o westeion gyrraedd a chymryd eu seddau wrth y byrddau. Eisteddai'r Cynghorydd Morgan yn y cornel gyda'i wraig, ac roedd e'n amlwg yn anghyffyrddus. Rhannodd Combi a'i rieni fwth gyda Bonner a'i fam, a oedd prin yn cyrraedd ei ysgwyddau. Doedd neb yn siarad, a synhwyrodd Joe eu bod nhw i gyd yn teimlo braidd yn anesmwyth.

Daeth Mam i mewn i'r gegin. "Joe," meddai. "Dyna ni – mae'r gwesteion i gyd yma."

Camodd Joe i'r caffi. "Diolch i chi am ddod," meddai wrthyn nhw. "Ma'r pryd o fwyd hwn, gan gynnwys y gwin, am ddim. Ma fe'n ddathliad, a dw i'n gobeithio y gwnewch chi fwynhau'r bwyd."

"Wyt ti'n mynd i ddweud wrthon ni pam y gwnest ti ein gwahodd ni nawr?" gofynnodd Gwen.

"Cyn hir," meddai Joe. "Gadewch i ni fwyta yn gynta." Deialodd rif ar ei ffôn symudol. "Ry'n ni'n barod."

Ychydig wedyn dechreuodd Mr Malewski, Marta, Dariusz, Mr Ling, Mr Patel a Mr Sadik ddod â'r cwrs cyntaf drwodd a'i gynnig i'r gwesteion.

PUM DEG NAW

Trawodd Joe ei ben o amgylch y drws bob hyn a hyn, er mwyn gweld sut roedd pethau'n mynd yn y caffi. Roedd e'n falch o weld bod Mr Malewski, Marta a'r lleill yn llawn brwdfrydedd ac yn disgrifio'r danteithion roedden nhw'n eu cynnig o'u gwahanol wledydd.

Erbyn bod y prif gwrs yn barod roedd y cwsmeriaid yn sgwrsio'n llawen.

Cafodd y ddau *lasagne* eu torri'n sgwariau taclus a'u rhoi ar blatiau cyn i gaws Parmesan gael ei daenu drostyn nhw. Gwyliodd Joe'n nerfus wrth i'r gwesteion ddechrau bwyta.

Daeth y synau *www* ac *aaa* a glywodd â gwen i'w wyneb, ond golygfa'r caffi llawn cwsmeriaid yn sgwrsio yng ngolau cannwyll a gyffyrddodd ei galon fwyaf.

"Mam," meddai, "dere 'da fi."

"Dw i dal yn gweini, Joe."

"Gall Mimi ymdopi. Dim ond ychydig o funudau fyddwn ni."

Cymerodd law Mam a mynd allan i'r ali.

"Ble dy'n ni'n mynd?"

"Aros i gael gweld."

Cyrhaeddon nhw'r Stryd Fawr ac arweiniodd Joe Mam ar draws y ffordd. Trodd hi o gwmpas i wynebu'r caffi, a ddisgleiriai mewn goleuni. "Edrych. Ma'n rhaid i ti gyfadde, Mam – ma fe mor bert."

Tynnodd Mam Joe tuag ati a'i gusanu ar dop ei ben.

"Ma fe, Joe. Dydw i heb weld hynny cyn hyn. Ma fe *yn* bert."

Safodd y ddau yn gwylio Mimi'n symud o un bwrdd i'r llall, a'r cwsmeriaid yn bwyta'n fodlon. Yna gwelodd Joe yr ambiwlans yn cyrraedd. Roedd yr amseru'n berffaith.

Aeth Mam a Joe, ac yna Dad, i gyfarch Nonno wrth iddo gael ei helpu allan o'r ambiwlans. Pan aethon nhw i mewn i'r caffi safodd y cwsmeriaid ar eu traed a dechrau cymeradwyo.

"Croeso gartre, Papà," meddai Mam.

Roedd llygaid Nonno'n pefrio wrth iddo syllu ar yr holl gwsmeriaid. Roedd y caffi'n llawn.

CHWE DEG

Gwyliodd Joe o ddrws y gegin wrth i'r darnau o bitsa melys gael eu gweini â thalp o hufen iâ cartref.

"Pitsa i bwdin?" meddai Combi.

"Pitsa melys yw e," eglurodd Mam.

Goleuodd llygaid Combi i gyd. Fe oedd y cyntaf i flasu un o'r darnau pitsa. Rholiodd ei lygaid yn ei ben. "O, bendigedig. Afal a banana poeth."

Gwenodd Joe a theimlodd yn falch wrth i bobl fwynhau ei bwdin newydd.

"*Bravo*, Joe," meddai Mimi. "Clyfar iawn."

Cymerodd Nonno sedd y tu ôl i'r cownter wrth i Joe gamu o'r gegin i sŵn cymeradwyo uchel.

"Fe addewais i y byddwn i'n datgelu pam eich bod chi i gyd wedi cael gwahoddiad i ddod 'ma heno," meddai Joe. "Wel, y prif reswm oedd er mwyn dathlu dychweliad Nonno, neu Beppe i chi. Y rheswm arall oedd er mwyn diolch i chi i gyd."

Estynnodd am ei restr.

"Yn ystod y rhyfel yn un naw pedwar deg roedd Nonno'n dosbarthu cynnyrch ar ran Mr Lewis y cigydd – eich tad chi oedd hwnnw, Mr Lewis," meddai Joe wrth Mr Lewis. "Dw i'n gwbod fod hynny amser maith yn ôl, ond rydych chi yma oherwydd bod eich tad chi wedi rhoi gwaith i Nonno pan roedd pawb arall yn troi eu cefnau arno."

"Bachgen ifanc iawn oeddwn i," meddai Mr Lewis, "ond dw i'n cofio."

Cododd Nonno wydryn iddo.

"Gwen," meddai Joe.

"Ooo, beth?"

"Pan oedd Nonno allan yn dosbarthu nwyddau un tro, fe ymosododd criw o fechgyn arno, ac fe ddaeth eich mam chi i'w achub. Fe ddywedodd hi'r drefn wrthyn nhw a dweud wrthyn nhw am adael llonydd iddo fe."

"Da iawn hi!" meddai Gwen.

"Mrs Bonner a Toni," meddai Joe.

Cochodd Bonner wrth droi at Joe.

"Roedd eich tad a'ch tad-cu chi yn blismon – PC Williams."

"Oedd," meddai mam Bonner.

"Oeddech chi'n gwbod ei fod e wedi rhoi gwbod i Nonno fod y fyddin ar eu ffordd i arestio'i dad?"

"Na, doeddwn i ddim."

"Wel, fe wnaeth e, ac fe roddodd hynny ddigon o amser iddo fe ddianc. Pe bai rhywun wedi dod i wbod am yr hyn wnaeth dy dad-cu di, fe fydde fe wedi colli'i swydd. Roedd e'n beth dewr iawn i'w wneud. Diolch."

Dechreuodd Mrs Bonner grio. "Dere nawr, Mam," meddai Bonner gan ei tharo'n gadarn ar ei hysgwydd a gwneud iddi wingo.

"Tudur!" meddai Joe.

Safodd Tudur ar ei draed, cyn cael ei dynnu yn ôl i'w sedd gan ei fam.

"Roedd dy dad-cu di, Dai Gwynn, yn löwr," meddai Joe.

"Dw i'n gwbod."

Pwyntiodd Joe at y ffotograff o Vito Merelli. "Fe smyglodd Dai fy hen dad-cu, wedi'i wisgo fel glöwr, yn ôl i Fryn Mawr ac i'r caffi hwn."

"Do fe wir?"

"Ond nid yn unig hynny. Fe guddiodd e Vito yn ei dŷ fe pan oedd y fyddin eisie'i arestio fe am fod yn estron-elyn. Gallai Dai Gwynn fod wedi cael ei arestio ei hun pe bai rhywun wedi dod i wbod."

Cododd Nonno'i law ar Tudur a'i fam wrth iddyn nhw eistedd yn falch.

"A dyna lle ma'r lleill ohonoch chi'n chwarae eich rhan," meddai Joe wrth y gwesteion eraill. "Fe adawa i i Nonno ddweud wrthoch chi beth ddigwyddodd."

Trodd at y chwaraewr CD a phwyso'r botwm.

"Yn ara' bach, dros yr wythnosau a'r misoedd canlynol, cymerodd pobl Bryn Mawr eu tro i gynnig lloches i Papà yn eu cartrefi. Roedd hi'n gyfrinach, a dim ond y rheiny yr oedd modd ymddiried ynddyn nhw oedd yn gwbod. Fe sylweddolon nhw nad oedd e'n fygythiad a bod ei gadw fe oddi wrth ei deulu yn greulon. Bob ychydig o ddiwrnodau byddai'n symud i dŷ gwahanol. Rhoddodd pob teulu fwyd a rhywle i gysgu iddo, ac, yn y diwedd, cafodd loches ganddyn nhw dros y pedair blynedd ganlynol. Chafodd e ddim o'i ddal, ond un diwrnod fe anfonodd e neges ata i – fe ddwedai, yn syml iawn, 'Dai loro da mangiare,' a olygai 'bwyda nhw'. Dyna'r un ffordd y gallai e ddiolch iddyn nhw ..."

Stopiodd Joe y tâp a throi at y cwsmeriaid. "Aeth fy hen dad-cu i i wahanol gartrefi er mwyn osgoi cael ei ddal – gwahanol deuluoedd yma ym Mryn Mawr: yr Evansiaid, y Morusiaid – dyna dy hen dad-cu di,

268

Combi, ar ochr dy dad ..."

Gwenodd Combi.

"... y Tomosiaid, y Matthewsiaid, y Zecchiniaid, y Coheniaid, y Llywelyniaid, y Morganiaid ..." Nodiodd Joe ar y Cynghorydd Morgan, a sychodd yntau ddeigryn o'i lygad. "... a'r Davisiaid," meddai Joe. "Dyna ni, Dad, dy fam-gu a dy dad-cu di, hyd yn oed. Fe gymeroch chi i gyd eich tro ar rota. Fe achuboch chi fy hen dad-cu rhag cael ei alltudio, a hynny ar hyd yr amser nes diwrnod VE yn un naw pedwar pump. Dyna pam eich bod chi i gyd yma. Ro'n ni am ddiolch i chi gyda'r pryd bwyd 'ma."

Cafwyd tawelwch ac yna dechreuodd Joe, Nonno, Mam a Mimi gymeradwyo'r gwesteion. Deialodd Joe rif ffôn yn gyflym. "Bydde nawr yn grêt," meddai wrth siarad i'r ffôn.

Trodd y radio ymlaen a throi'r deial nes cael derbyniad clir o'r orsaf.

"A nawr, fel digwyddiad arbennig i nodi diwrnod VE ym Mryn Mawr," cyhoeddodd y DJ, "dyma Beppe Merelli a'i atgofion ei hun am y diwrnod ..."

Cafwyd tawelwch am foment ac yna daeth llais Nonno.

"Ar Fai'r wythfed daeth pawb i ganol y dref. Roedd y rhyfel drosodd. Gallech chi deimlo'r hapusrwydd a'r

rhyddhad ar yr awyr. Roedd e'n brydferth. Ond y foment nad anghofia i fyth yw pan gamodd Papà yn ôl i'w gaffi. Fe gerddodd e mewn, jest fel'na, fel pe bai e ond wedi bod oddi yno am gwpwl o oriau. Roedd e'n ddyn rhydd, allan yn yr agored i bawb gael ei weld e. Aeth e lan stâr, gwisgo a 'molchi, ac yna daeth yn ôl i lawr i'r caffi yn ei got wen a'i het am y tro cynta ers dros bedair blynedd. Cafodd ei groesawu 'nôl â breichiau agored, a ddangosodd e ddim chwerwder.

Y noson honno, fe ddigwyddodd rhywbeth hyfryd. Crwydrodd pobl o gwmpas canol tref Bryn Mawr, fel pe baen nhw'n cael passeggiata. *Rhoddodd Papà record i chwarae ar ei hen gramoffon.* Corws Va pensiero *o opera* Nabucco *gan Verdi oedd e. Fe ddechreuodd ganu gyda'r gerddoriaeth, ac fe ymunodd pawb – achos ma'r Cymry'n nabod y gân – y gân am wlad enedigol pawb. Ma'r geirie'n brydferth: 'Hedfana fy meddyliau ar adenydd o aur. Dos i'r llethrau a'r mynyddoedd, lle mae awelon ysgafn, melys yn ein tywys ni i'n mamwlad …'*

Roedd e'n beth arbennig i'w weld a'i glywed. Roedd fel pe bai goleuadau'r siopau'n tywynnu tamed yn fwy llachar. Gwnaeth Papà fwyd. Fe goginiodd ac fe goginiodd, fel pe bai'n gwneud yn iawn am yr holl oriau a gollodd. Defnyddiwyd y jariau olaf o'r bwydydd a biclodd. Fe fwydodd e bawb – fe rannodd e'r cyfan."

Gwrandawodd pawb mewn tawelwch hyd nes y dywedodd y DJ, "Nawr 'te, os ewch chi draw i Stryd Fawr Bryn Mawr mae 'na ŵyl fwyd am ddim yn cael ei chynnal. Ie, dyna chi, bwydydd am ddim o wahanol wledydd, a'r cyfan wedi'i ddarparu gan berchenogion siopau a bwytai er mwyn dathlu diwrnod VE – Buddugoliaeth yn Ewrop. Dyma'r corws o opera *Nabucco* gan Verdi, fel y soniais. Ry'n ni'n falch eich bod chi 'nôl, Mr Merelli ..."

Dechreuodd y gerddoriaeth, ond nid yn y caffi'n unig roedd hi i'w chlywed, ond trwy'r seinyddion ac allan ar y stryd. Llenwodd y corws bendigedig awyr y nos.

Nodiodd Joe ar y Cynghorydd Morgan, a gyhoeddodd i'w ffôn, "O'r gorau. Nawr."

Cyneuodd y Cynghorydd Morgan y rhesi o oleuadau bach a throdd Stryd Fawr Bryn Mawr yn fôr o oleuni. Dechreuodd pobl grwydro o gwmpas a blasu'r bwyd yn syth. "Edrych, Nonno," meddai Joe. "Ma nhw'n cymryd *passeggiata*."

Disgleiriodd y dagrau yn llygaid Nonno.

Tapiodd ei frest a chwythu cusan at Joe.

CHWE DEG UN

Roedd hi'n hwyr y noson honno pan eisteddodd Joe yn y caffi gyda Nonno, Mam, Mimi a Dad er mwyn gorffen yr olaf o'r gwin. Roedd hi wedi dechrau bwrw glaw, ond disgleiriai goleuadau'r Stryd Fawr yn llachar o hyd.

"Wna i fyth anghofio heno, Joe," meddai Mam. "Dw i'n falch iawn ohonot ti."

"A ti, Mam, a ti, Mimi," meddai Joe.

"Fe wnaethoch chi i gyd hyn gyda'ch gilydd," meddai Nonno. "Dw i'n falch ohonoch chi i gyd."

Cododd pawb eu gwydrau.

"O, a gyda llaw, Joe," meddai Mam. "Ro'dd Natalie'n

gofyn rhywbeth i fi ynglŷn â heno – ei thad hi oedd Joni Corbett, yn dyfe?"

"Ie."

"Ac fe wnest ti eu gwahodd nhw oherwydd dy fod wedi dysgu bod hen dad-cu Combi ar ochr ei dad yn un o'r teuluoedd a helpodd Nonno i guddio yn ystod y rhyfel?"

Syllodd Joe ar y nenfwd. "Do."

"Ond sut gallai hynny fod?" gofynnodd Mam. "Dw i'n gwbod fod dy hen dad-cu di wedi cael ei symud o gwmpas y dre at yr holl deuluoedd gwahanol, ond dw i'n reit siŵr nad oedd hynny'n cynnwys teulu oedd yn byw yn Jamaica ar y pryd."

"O, Joe," meddai Nonno.

"Wel, ro'n i'n teimlo'n wael am yr hyn wnes i i Combi ac ro'n i am ei gynnwys e."

"Ond beth am y lleill, Joe?" gofynnodd Mam. "Plis dweda wrtha i eu bod nhw i gyd yn—"

"O, oedden, roedden nhw i gyd yn ddilys – addo," meddai Joe. "Pob un yn berthynas go iawn i'r rhai a'n helpodd ni, heblaw am Combi."

"O, da iawn."

"A'r Cynghorydd Morgan," ychwanegodd Joe.

"Y Cynghorydd Morgan!" meddai Mam. "Felly wnaeth ei rieni fe ddim ein helpu ni o gwbl yn ystod y rhyfel?"

"Na. Ro'dd ei deulu fe o ogledd Cymru."

"Felly pam wnest ti ei gynnwys e?"

"Wel, achos fe feddylies i ... pe bawn i'n ei wahodd e fydde fe ddim yn gallu gwrthod wedyn, ti'n gweld."

Rholiodd Mam ei llygaid. "Cynnig na alle fe mo'i wrthod."

"Yn hollol. Felly pe bydde fe ynghlwm â'r noson bydde fe'n ddefnyddiol – i stopio'r traffig, y golau, y gohebydd – ro'dd e'n ddefnyddiol *iawn*."

Cododd Joe ei aeliau.

Syllodd Mimi, Mam a Dad arno, ac yna dechreuodd Nonno wneud sŵn rhyfedd. Aeth Mam i banig ac aeth i ffonio am ambiwlans.

"Mae'n ocê," meddai Dad. "Dw i'n meddwl ei fod e'n chwerthin."

Dechreuodd Nonno daro'r bwrdd â'i ddwrn. Roedd ganddo ddagrau yn ei lygaid ac roedd e'n chwerthin yn afreolus.

Trodd Mam at Joe. "Ti'n boncyrs."

Daliodd ei bysedd yn dynn yn ei gilydd ac ysgwyd ei dwylo.

"Mam, ti 'di mynd yn Eidalaidd i gyd!"

Cusanodd ef a dal ei wyneb yn ei dwylo. "Joe. Rwyt ti'n ... *bellissimo*."

CHWE DEG DAU

Arhosodd Mimi am y trên gyda Joe, Mam, Tudur, Marta, Bonner a Combi. Doedd neb yn siarad. Wrth i'r trên gyrraedd yr orsaf, roedd gwddf Joe mor dynn fel y teimlodd na fyddai byth yn gallu llyncu eto.

"Diolch am bopeth ti wedi'i wneud, Mimi," meddai Mam wrth iddyn nhw gwtsho.

Trodd Mimi at Tudur a rhoddodd gusan iddo ar ei ddwy foch. Rhoddodd e flodfresychen iddi a dweud, "Addo y doi di 'nôl i'n gweld ni?"

"Dw i'n addo."

Daliodd Marta fag bychan i Mimi. "Danteithion Pwylaidd," meddai. "Ma gyda ni lawer o gwsmeriaid

Cymreig newydd nawr, ar ôl neithiwr. Busnes da!"

"Hwyl fawr, Mimi," meddai Combi. "Dw i wedi prynu siocled i ti ar gyfer y daith."

Rhoddodd gusan iddo ac yna trodd at Bonner.

"Fydd Bryn Mawr ddim yr un peth hebddot ti, Mimi," meddai.

"O, mor annwyl," atebodd hithau, gan roi cusan iddo ar ei foch.

"Does neb erioed wedi fy ngalw i'n 'annwyl' o'r blaen," meddai Bonner. "Heblaw am Mam."

Yn olaf, trodd Mimi at Joe.

"Dw i'n gobeithio un diwrnod y doi di o hyd i Giovanni," meddai Joe. "Neu unrhyw Giovanni."

"O, yr hyfryd Joe," meddai Mimi a rhoddodd gusan iddo.

Roedd Joe'n siŵr ei fod yn gallu clywed y ddeuawd enwog o *La Bohème* wrth iddo lwyddo i ddweud, "*Ciao*, Mimi."

Chwythodd y giard ei chwiban a chamodd Mimi i fyny at ddrws y trên.

Sychodd ei dagrau a chwythu cusan iddyn nhw i gyd. "*Ciao*."

Chwifiodd pawb. "*Ciao*."

Tynnodd y trên allan o'r orsaf.

Penderfynodd Joe fod yn gas ganddo drenau, oherwydd unwaith roedden nhw wedi dechrau symud doedd dim y gallech chi wneud i'w stopio nhw.

Aeth pawb yn ôl i Fryn Mawr mewn tawelwch ac erbyn iddyn nhw gyrraedd y Stryd Fawr roedd hi wedi dechrau bwrw.

Stopiodd Mam. "Joe," meddai, gan syllu ar y caffi.

"Ie, Mam?"

"Oeddet ti o ddifri ynglŷn â chymryd y caffi drosodd ar ôl gadael yr ysgol?"

"Ond ti'n ei werthu fe."

"Jest ateb y cwestiwn."

"Oeddwn."

"Fydde dim ots gyda ti sefyll y tu ôl i'r cownter 'na am wyth awr y dydd?"

"Na."

"Yn edrych ar wynebau diflas a Stryd Fawr wag?"

"Dydyn nhw ddim wastad yn ddiflas a dydy'r Stryd Fawr ddim wastad yn wag."

Cynigiodd Mam ei llaw iddo. "Llongyfarchiadau," meddai. "Ti yw perchennog newydd, balch Caffi Merelli."

Wrth i Joe gymryd llaw Mam roedd e'n dal i feddwl am ddrws y trên yn cau ar Mimi, ond pan wawriodd arno beth roedd Mam newydd ei gynnig iddo dechreuodd grio.

"Be sy'n bod?"

Disgynnodd i'w breichiau. "Alla i ddim help, Mam

– Eidalwr ydw i."

"O'r mawredd," meddai Mam. "Dw i newydd sylweddoli rhywbeth, Joe."

"Beth?"

"Ma'n rhaid i ni goginio cinio ... heb Mimi!"

"*Panig-issimo!*"

Rhuthrodd Joe a Mam mewn i gegin y caffi, ac estyn y sosbenni a'r cynhwysion. Fe fwron nhw mewn i'w gilydd yn barhaus wrth iddyn nhw baratoi'r bwyd. Fe lefodd y ddau wrth dorri winwns. Fe dorron nhw blatiau. Fe losgon nhw fwyd – heb sôn am eu bysedd – ac fe wnaethon nhw anghofio cynnau'r ffwrn, hyd yn oed.

"Popeth yn iawn?" gofynnodd Dad o ddrws y caffi.

"NA!" arthiodd Joe a Mam ar yr un pryd.

"Dw i wedi cael pedair archeb am y pasta a dwy am y cawl," meddai Dad.

Edrychodd Joe ar Mam a gwelodd yr ofn ar ei hwyneb.

Daeth cnoc ar ddrws y cefn. "Ateba i fe," meddai Dad wrth gerdded heibio iddyn nhw.

Agorodd y drws.

Roedd Mimi'n sefyll yno yn y glaw. "Dw i ddim eisie mynd i Lundain," meddai hi.

"O," meddai Mam.

Arogleuodd Mimi'r aer. "Rhywbeth yn llosgi?"

Trodd Mam at Joe. "Rhywbeth yn llosgi, Joe."

"Oes," meddai Joe. "Ma 'na."

"Ydych chi eisie i fi helpu?" gofynnodd Mimi.

"Wel ... galli di roi help llaw i ni," meddai Mam. "A tra dy fod di gyda ni, fe ranna i elw'r cinio gyda ti, hanner cant y cant, a ... a galli di fy nysgu i sut i goginio ..."

"Ie," meddai Joe. "Dw i eisie dysgu hefyd."

Gollyngodd Mimi ei bag. "O'r gorau. Dewch i ni gael dechrau arni."

CHWE DEG TRI

Roedd cinio yn ei anterth a'r caffi'n llawn dop.

Roedd Joe'n hapusach nag y bu erioed o'r blaen. Deuai cyhoeddiadau o'r syrjeri doctor yn rheolaidd a deuai teithwyr y bysys i mewn ac allan. Weithiau bydden nhw'n penderfynu dal y bws nesaf er mwyn gallu aros a mwynhau pryd y dydd.

Cymysgodd Mam gynnwys sosban fawr ar yr hob.

Eisteddai Nonno gerllaw yn gwylio gyda Joe.

"Ydych chi'n gweld pa mor drwchus yw hwn?" gofynnodd Mimi.

"Dw i'n gweld."

"Ma'r gwres yn is," meddai Mimi, "fel bod y blas yn

gryf. Trïwch ychydig ohono fe."

Blasodd Mam ychydig o'r saws. "Mmmm. Joe, tria fe."

"Hyfryd," meddai Joe.

Daeth Tudur mewn i'r gegin. "Ma dy dad yn dweud ei fod e'n barod!"

"O, reit."

Gosododd Nonno ei hen het wellt ar ben Joe, a sythodd Mam ei dei. "Ti'n edrych yn grêt," meddai hi.

"Diolch," meddai Joe. Cerddodd i mewn i'r caffi prysur. "Helô, Gwen."

Gwenodd hithau. "Helô, Joe. O dyna smart rwyt ti."

"Ie, wir," meddai Tudur, a oedd yn gweini y tu ôl i'r cownter.

"Popeth yn iawn i ti?" gofynnodd Joe.

"Tsiampion," meddai Tudur. "Gweini ar gwsmeriaid, sgwrsio, cinio am ddim ac isafswm cyflog. Beth sydd i beidio'i hoffi? Dw i'n *fodlon-issimo*."

Stopiodd Joe i edrych ar y ffotograffau o'i hen dad-cu y tu allan i'r caffi yn un naw dau naw, a Nonno yn un naw pum tri, yna aeth allan. Safodd o flaen y caffi a'i freichiau wedi'u plygu. Edrychodd Dad trwy lens y camera.

"Ti'n edrych braidd yn ddifrifol."

Gwenodd Joe.

"Dyna welliant. O'r gorau, aros yn llonydd."

Yna cafodd Joe syniad. "Aros, Dad!"

Aeth yn ôl i'r caffi ac y tu ôl i'r cownter lle roedd Mam yn sefyll.

"Beth wyt ti wedi'i anghofo?" gofynnodd hi.

Cymerodd Joe ei llaw. "Ti, Mam."

"Na, Joe. Edrych ar 'y ngolwg i!"

"Ti'n iawn, Mam." Aeth â hi allan ac fe safodd y ddau y tu allan i Gaffi Merelli gyda'i gilydd. Tynnodd Dad y llun.

Cafodd ei fframio a'i hongian ar wal y caffi y diwrnod wedyn – trydedd a phedwaredd cenhedlaeth tîm rheoli Caffi Merelli.

CHWE DEG
PEDWAR

Roedd gwynt Joe a Combi yn eu dyrnau wrth iddyn nhw gerdded i fyny'r bryn. Gorweddai holl dref Bryn Mawr oddi tanyn nhw. "Ma hwn yn edrych fel lle da," meddai Joe.

"Pam mor bell?" gofynnodd Combi.

"Wyt ti eisie cael dy weld?"

Dechreuodd Joe dynnu'i ddillad.

"Be ti'n neud?" gofynnodd Combi.

"Gwisgo fy nillad. Beth amdanat ti?"

"Beth sydd o'i le gyda'r hyn dw i'n wisgo?"

"Combi, pryd oedd y tro diwethaf i ti weld Usain Bolt yn rhedeg mewn cot law a bag cefn?" Cododd

Combi'i ysgwyddau ac, yn anfoddog, tynnodd ei fag a'i got.

Safodd y ddau yn ymyl ei gilydd. "Fe anelwn ni tuag at yr arwydd ffordd 'na," meddai Joe.

"Ocê. Marciau. Barod—"

"Na, nid ras yw hi, Combi! Ry'n ni'n loncian, iawn? Ystwytha dy hun yn gynta."

Ceisiodd Joe gyffwrdd â'i draed ond chyrhaeddodd e ddim pellach na'i bengliniau.

Gwyliodd Combi.

"Ma angen i ti ymestyn, Combi," meddai Joe, "neu fe gei di anaf."

"Drycha. Gwna di beth bynnag sy'n rhaid i ti ei wneud, ond stopia ddweud wrtha i beth i'w wneud."

"Reit. Arwydd ffordd, iawn? Rheda!"

Fe redon nhw, ond ar ôl ychydig o funudau'n unig roedd y ddau fachgen yn pwyso ar ei gilydd ac yn anadlu'n ddwfn. Gorweddodd y ddau ochr yn ochr ar y ffordd.

"Dw i'n meddwl 'mod i'n marw."

"Achos ein bod ni wedi rhedeg," meddai Joe. Loncian ro'n ni fod gwneud."

Cropiodd Combi draw at ei fag cefn. Tynnodd botel o Coke allan ohoni.

"O, Combi!" meddai Joe.

"Dw i wedi'i haeddu hi – *nacyrd-issimo!*"

Cododd Joe ar ei draed a syllu i lawr ar Fryn Mawr. Gallai weld y Stryd Fawr a Chaffi Merelli.

"Fe ddwedodd Mam y galla i beintio 'nghaffi i."

Safodd Combi yn ei ymyl. "Pa liw?"

"Glas, ro'n i'n meddwl."

"Byddai gwyrdd yn well – cynhesach."

Meddyliodd Joe am y peth. "Mae gwyrdd yn bosib hefyd."

Clywodd sŵn a throdd i weld dwy ferch yn dod i lawr y bryn yn gyflym ar feiciau. Roedden nhw'n edrych yn flin. Syllodd Joe ar un o'r merched – roedd hi'n fawr â golwg grac iawn arni. Pan edrychodd y ddau i lygaid ei gilydd, clywodd Joe sŵn dwndwr taranau. "Crash!" gwaeddodd.

Edrychodd Combi arno. "Beth?"

"Fe ddwedes i, 'Pwy ydyn nhw?'" meddai Joe.

"Gemma Matthews a'i ffrind rhyfedd, y ferch wyllt."

"Dyw hi ddim yn edrych yn rhyfedd," meddai Joe wrth iddyn nhw wisgo'u cotiau eto.

"Ti'n gwbod beth fyddwn i wrth fy modd yn ei fwyta nawr?" gofynnodd Combi.

"Na. Dim bwyd y Cwt Ffowls," meddai Joe.

"Ie," meddai Combi. "Dere 'mlaen."

"Na," meddai Joe. "Ond fe allen i neud tamed o bitsa melys."

Llyncodd Combi. "Neis. Â saws siocled y tro hwn?"

"Na," meddai Joe. "Rhy felys. Ond gallwn i wneud un yn cynnwys gellyg, neu fefus. Ac fe ddweda i wrthot ti be – fe allen ni ei dorri fe'n drionglau a'i werthu. Tamed o gystadleuaeth i'r Cwt Ffowls – byrbryd iachach.

"Fyddai Mr Patel ddim yn hoffi hynna."

"Marchnad rydd," meddai Joe. "Busnes yw busnes."

"Alli di neud peth nawr?"

"Dim ond os wyt ti'n addo peidio â phrynu cyw iâr a sglodion."

"Dêl."

Rhoddodd Joe ei fraich o amgylch ysgwydd Combi.

"Pam wyt ti'n rhoi dy fraich o 'nghwmpas i?"

"Eidalwr ydw i, Combi. A ti'n ffrind i fi – yn ffrind gorau."

"Digon teg," meddai Combi gan lithro'i fraich dros ysgwydd Joe.

Dechreuodd fwrw wrth iddyn nhw wneud eu ffordd i lawr tuag at Fryn Mawr.

Edrychodd Joe i fyny ar y cymylau llwyd a gwenodd.

"*Bellissimo!*" meddai.

NODYN HANESYDDOL

Cymeriad ffuglennol yw Vito Merelli, ond mae ei brofiad o fod ar fwrdd yr *SS Arandora Star* wedi'i seilio ar ddigwyddiad go iawn a ddygodd fywydau dros 800 o bobl.

Ar ddiwedd mis Mehefin 1940 hwyliodd yr *SS Arandora Star* o Lerpwl â chriw o Eidalwyr ac Almaenwyr a gaethiwyd ar ei bwrdd. Canada oedd pen y daith. Ond, yn gynnar ar fore'r 2il o Fehefin trawyd y llong gan dorpido o long danfor Almaenig.

Mae'r ffigyrau'n amrywio, ond ymysg y rhai a laddwyd roedd 58 aelod o'r criw, 175 o Almaenwyr a 486 o Eidalwyr. Roedd 53 o'r Eidalwyr o Gymru.

Daethpwyd â nifer o'r rhai a oroesodd y drychineb yn ôl i Brydain a'u rhoi ar fwrdd llong arall, yr *HMS Dunera*, a hwyliodd i Awstralia gwta wyth diwrnod ar ôl i'r *Arandora Star* suddo. Ymosododd llong danfor ar y *Dunera* hefyd, ond parhaodd â'i siwrnai nes cyrraedd Awstralia.

Mae cofebion i ddioddefwyr yr *Arandora Star* i'w gweld yn Eglwys Gadeiriol Dewi Sant yng Nghaerdydd, Eglwys Eidalaidd Sant Peter yn Llundain, Eglwys Sant Michael yn Birmingham, yr Ardd Glawstrol Eidalaidd yn Eglwys Gadeiriol St Andrew yn Glasgow a'r Pier Head, Lerpwl.

Yn yr Eidal ceir cofebion yn Barga, Bratto a chapel i'r dioddefwyr yn y fynwent yn Bardi.

Mae gwefan yr *Arandora Star* yn cynnwys

287

gwybodaeth, atgofion llygad dystion a nifer o straeon: www.arandorastarwales.us.

NODYN YR AWDUR AR OPERA

Mae opera'n rhyfedd, ond ar yr un pryd, dw i'n meddwl ei bod yn wych. Dw i'n dweud ei bod yn rhyfedd oherwydd os nad ydych chi erioed wedi clywed neu weld opera o'r blaen, yr hyn yw hi, yn ei hanfod, yw pobl yn sefyll ar lwyfan yn sgrechian. Efallai eich bod chi wedi gweld sioe gerdd ar lwyfan, fel *Cats* neu *Oliver*, ond does dim angen meicroffonau ar gantorion opera gan eu bod nhw'n hyfforddi'u lleisiau i ganu'n uwch na'r arfer. Mae'n anhygoel i wrando arno, ond mae'n debyg i sgrechian wedi'i reoli – fel y dywedais i, mae'n rhyfedd.

Os gallwch chi weld heibio i'r ffaith nad yw'n realistig o gwbl, yna dw i'n addo i chi fod opera'n wych. Fe ddechreuais i wrando ar opera pan oeddwn i'n ddim ond naw neu ddeg oed, yn bennaf gan fod fy nhad yn gwrando arno trwy'r amser. Ry'ch chi'n cael eich amsugno'n llwyr i ganol y ddrama. A dweud y gwir, os meddyliwch chi am y peth, dydy ffilm neu animeiddiad da ddim yn real, ond dydy hynny ddim yn eich stopio chi rhag gwylio a chael eich hudo'n llwyr gan y stori.

Yn y ddeunawfed ganrif a'r bedwaredd ganrif ar bymtheg doedd dim y fath beth a sinemâu, felly roedd pobl yn mynd i'r theatr ac i weld opera er mwyn cael eu diddanu. Roedd cyfansoddwyr fel Mozart, Rossini, Verdi a Puccini yn cyfansoddi operâu wedi'u seilio ar lyfrau a dramâu poblogaidd ar y pryd – yn union fel heddiw pan fyddan nhw'n gwneud ffilmiau yn seiliedig ar lyfrau poblogaidd fel *Harry Potter*. Mae llinyn storïol ambell opera yn wirion bost, ond rhaid i chi gofio iddyn nhw gael eu hysgrifennu mewn cyfnod pan oedd pobl yn hoffi straeon melodramatig (hynny yw, straeon dros ben llestri). Cofiwch chi, dw i'n meddwl bod y rhan fwyaf o operâu sebon y dyddiau yma'n mynd dros ben llestri hefyd.

Mae operâu bron bob amser yn ymdrin â chariad, ond mae llawer ohonyn nhw ynglŷn â marwolaeth a llofruddiaeth hefyd, felly mae angen i chi fod yn ofalus ar ba un y byddwch chi'n gwrando – fyddwn i ddim eisiau i chi gael eich diflasu gan yr un gyntaf ry'ch chi'n rhoi cynnig arni.

Os ydych chi'n meddwl y byddech chi'n hoffi opera ddoniol, sy'n ysgafn ac yn hawdd i wrando arni, yna rhowch dro ar *Priodas Figaro* (*Le Nozze di Figaro*) gan Mozart neu *Barbwr Seville* (*Il Barbiere di Siviglia*) gan Rossini. Mae'r ddwy yn hwyliog ac yn llawn cerddoriaeth hyfryd.

Giuseppi Verdi yw fy hoff gyfansoddwr opera i. Roedd e eisiau cyffroi a diddanu pobl. Gallech chi ddweud mai fe oedd Steven Spielberg ei oes – roedd Verdi'n awyddus i gyfansoddi operâu cyflym, dramatig oedd yn llawn cerddoriaeth wych. Felly, os ydych chi'n meddwl fod ei operâu'n apelio atoch chi, yna dw i'n awgrymu *Macbeth*, *Rigoletto*, *La Traviata*, *Aida* neu *Otello* gan Verdi.

Mae operâu Puccini'n grêt hefyd – yn llawn cerddoriaeth

hyfryd sy'n deimladwy a phrydferth. Gallech roi cynnig ar *La Bohème* neu *Madama Butterfly* (dw i'n eich rhybuddio chi – mae'r ddwy'n drist iawn), neu *Turandot*, sy'n stori dylwyth teg o opera.

Mae'r rhan fwyaf o operâu'n cael eu canu mewn Eidaleg, felly bydd yn rhaid i chi ddarllen y stori o flaen llaw, neu ddilyn gyda *libretto* sy'n dweud wrthoch chi beth mae'r cymeriadau'n ei ddweud. Gallwch hefyd ddod ar draws recordiadau o operâu yn Saesneg neu yn Gymraeg ond, a bod yn onest, efallai na fyddwch chi'n deall o hyd beth sy'n cael ei ddweud. Efallai y gallech fenthyg CDs neu DVDs o operâu o'ch llyfrgell leol, neu gallech hyd yn oed ddarganfod os oes operâu'n cael eu perfformio'n fyw yn agos i'ch cartref.

Gallwch ddod o hyd i fwy o wybodaeth trwy Opera Cenedlaethol Cymru (www.wno.org.uk), neu'r Tŷ Opera Brenhinol (www.roh.org.uk).

Dw i'n gobeithio y rhowch chi gynnig arni.

RYSEITIAU

Gall coginio fod yn hwyl yn ogystal â bod yn brofiad llawn boddhad. Mae'n dipyn rhatach ac iachach na phrynu prydau parod, hefyd. Fel dywed Mimi, "mae saws pasta'n hawdd", a gallwch ei ddefnyddio i wneud llwyth o wahanol fathau o sawsiau i'w bwyta gyda phasta.

Saws pasta sylfaenol (ar gyfer pedwar o bobl)

CYNHWYSION

Tun o domatos wedi'u malu'n fân (neu gallwch ddefnyddio tun o domatos cyfan a'u malu â stwnsiwr tatws).

Piwrî tomato (gallwch ei gael mewn tiwb neu dun bach).

Dwy lond llwy fwrdd o olew olewydd, neu dalp o fenyn.

Hanner winwnsyn.

Un ewin garlleg.

Basil – ffres neu wedi sychu.

Halen a phupur.

DULL

Torrwch yr winwnsyn a'r garlleg yn fân yna'u ffrio yn yr olew olewydd neu'r menyn.

Unwaith y bydd yr winwnsyn wedi meddalu, trowch yr hob i lawr i wres isel ac ychwanegwch y tun o domatos. Ychwanegwch y basil, yr halen a'r pupur er mwyn ychwanegu at y blas. Dw i'n hoffi ychwanegu llond llwy fwrdd o biwrî tomato hefyd er mwyn rhoi ychydig mwy o flas yn ogystal â lliw.

Cymysgwch y cyfan a gadewch iddo fudferwi am tua 20 i 25 munud, hyd nes bod y saws wedi tewhau. Blaswch y saws wrth iddo goginio, er mwyn gweld a oes angen ychwanegu mwy o halen a phupur.

Dyna'r saws sylfaenol, ond os hoffech chi ei wneud yn bryd mwy diddorol, gallech ychwanegu mwy o gynhwysion. Er enghraifft, i'w gadw'n bryd llysieuol, gallech ychwanegu llond cwpanaid o bys wedi rhewi (gallwch eu hychwanegu ar ôl i chi fod yn coginio am tua deng munud). Bydd pys wedi rhewi yn dadrewi'n syth, felly o fewn dim bydd gyda chi saws pys a thomato hyfryd.

I goginio'r pasta bydd arnoch angen tua 80 gram o basta i bob person (gall fod yn unrhyw siâp pasta o'ch dewis, er enghraifft spaghetti, fusilli neu rigatoni). Cofiwch ddilyn y cyfarwyddiadau ar y pecyn, gan fod rhai mathau o basta'n gallu cael eu coginio mewn pum munud ond mae angen deg neu bymtheg munud mewn dŵr berwedig ar fathau eraill. Bydd y pasta'n barod pan na fydd yn rhy feddal nac yn rhy galed – fel dywed Mimi, "al dente". Draeniwch y pasta a'i ddychwelyd i'r sosban y gwnaethoch ei ferwi ynddi ac yna cymysgwch y saws a'r pasta gyda'i gilydd yn y sosban. Gweiniwch ef mewn powlenni neu ar blatiau, a thaenwch fymryn o gaws Parmesan drosto. Yna gallwch fwyta wrth eistedd o amgylch bwrdd ac ymarfer eich ystumiau Eidalaidd!

Dyma ambell awgrym arall:

Pasta tiwna: Saig hawdd a syml – dilynwch y cyfarwyddiadau ar gyfer y saws sylfaenol uchod, yna pan fo'n barod tynnwch y sosban oddi ar y gwres a chymysgwch dun o diwna gyda'r saws tomato (gwnewch yn siŵr eich bod yn draenio'r olew neu'r dŵr o'r tun o diwna cyn i chi ei ychwanegu).

Amatriciana: Saig pasta gwych os ydych chi'n hoff o facwn. Bydd angen i chi sleisio tua thair tafell o facwn yn fân, neu defnyddiwch Pancetta, sef ciwbiau bach o facwn mewn cwdyn y gallwch brynu yn y rhan fwyaf o archfarchnadoedd. Dilynwch y cyfarwyddiadau ar gyfer y saws pasta sylfaenol uchod (gallech gynnwys y pys, hyd yn oed), ond ffrïwch y bacwn gyda'r winwnsyn a'r garlleg ar y dechrau. Bydd angen i chi ychwanegu tshili, hefyd (sych neu ffres), gan ddibynnu pa mor boeth ry'ch chi am iddo fod – bydda i fel arfer yn ychwanegu tua hanner llond llwy de o bowdwr tshili wedi sychu. (Byddwch yn ofalus nad ydych chi'n rwbio ychydig o tshili yn eich llygaid yn ddamweiniol ar ôl i chi gyffwrdd ynddo – mae'n llosgi!)

Pasta Bolognese: Saig sy'n defnyddio mins cig eidion. Ffrïwch hanner winwnsyn a garlleg gyda tua 500g o fins cig eidion. Ffrïwch y cyfan am tua 10 munud, nes bod y cig eidion wedi brownio, ac yna dilynwch y cyfarwyddiadau ar gyfer y saws sylfaenol uchod, ond mae angen i'r saws hwn goginio am fwy o amser – tua 35 i 40 munud.

RYSAIT PITSA MELYS

Dydy'r Eidalwyr ddim wir yn gwneud pitsa melys. Mae'n bodoli, ond fel addasiad o bitsa arferol. Gallwch ddod o hyd i ryseitiau ar-lein hefyd, ond, yn fy marn i, maen nhw'n rhy felys o lawer, ar y cyfan. Felly dyma rysáit sylfaenol ar gyfer pitsa melys gydag afalau a banana wedi'u sleisio.

CYNHWYSION

250g o flawd plaen

Halen

Siwgwr mân

Olew olewydd

Powdwr pobi

Llaeth

Dau afal

Un banana aeddfed

DULL

Cyn i chi ddechrau gwneud y pitsa, cynheswch y ffwrn i 200°C neu farc Nwy 6.

I wneud sylfaen y pitsa, hidlwch 250g o flawd plaen i fowlen fawr, yna ychwanegwch llond llwy de o halen, dwy lond llwy de o siwgwr ac un llond llwy de o bowdwr pobi. Cymysgwch y rhain gyda'i gilydd.

Gwnewch dwll yng nghanol y cymysgedd ac ychwanegwch dair llond llwy fwrdd o olew olewydd. Cymysgwch ef gyda'ch dwylo hyd nes y bydd fel briwsion bara. Yna, ychydig ar y tro, ychwanegwch bedair llond llwy fwrdd o laeth a thua chwarter cwpanaid o ddŵr, gan eu cymysgu wrth i chi fynd yn eich blaen, er mwyn gwneud toes. Fe ddylai droi'n feddal a ddim yn rhy ludiog. Byddwch yn ofalus – gall wneud llanast.

Arllwyswch un llond llwy fwrdd o olew olewydd ar dun ffwrn sgwâr, neu dun pitsa, ynghyd ag ychydig o flawd – bydd hyn yn rhwystro sylfaen y pitsa rhag glynu i'r tun. Rholiwch y toes mor denau â phosibl (tua tair neu bedair milimedr oni bai bod yn well gyda chi sylfaen mwy trwchus) a gosodwch ef ar y tun ffwrn. Efallai y bydd angen i chi ei ymestyn yn ysgafn gyda'ch bysedd er mwyn gorchuddio'r tun i gyd. Gallwch ei wneud yn siâp cylch neu'n siâp sgwâr.

Piliwch a thynnwch galon y ddau afal a'u sleisio'n fân. Piliwch y banana aeddfed a'i sleisio'n fân hefyd. Gan adael ymyl 1½ centimedr o drwch o amgylch ymyl y toes, trefnwch yr afalau a'r banana wedi'u sleisio mewn haen sengl fel ei fod yn edrych fel pitsa. Brwsiwch yr ymyl â mymryn o laeth ac arllwyswch dair llond llwy fwrdd o siwgwr, neu ychydig o fêl, ar y pitsa. Gallwch hefyd arllwys ychydig o flawd cnau coco neu sinamon arno. Yn olaf, brwsiwch fymryn o olew olewydd arno.

Coginiwch ef yn y ffwrn am tua 15 munud – does dim angen llawer o amser arno i goginio. Torrwch ef yn sleisys siâp triongl a bwytwch ef yn gynnes neu yn oer. Gallwch hefyd ddewis eich cynhwysion eich hun i'w rhoi ar ben y pitsa ... gellyg wedi'u sleisio, neu rawnwin, neu fefus, neu gallech ychwanegu cnau almon wedi'u malu. Dw i'n siŵr y gallwch chi feddwl am syniadau da.

Mae llwyth o ryseitiau gwych i'w trio ar-lein – mae gwefan BBC Food yn dda iawn (www.bbc.co.uk/food) ac yn cynnwys ryseitiau o nifer o wahanol ddiwylliannau.

Pob hwyl, neu, fel y byddai Joe yn ei ddweud, *Tanti auguri!*

Giancarlo

Cafodd **G. R. GEMIN** ei eni yng Nghaerdydd i rieni o'r Eidal. *Sweet Pizza*, sef y llyfr y mae Caffi Merelli yn addasiad ohono, yw ei ail lyfr i blant. Mae'n hoffi mynd i'r Eidal mor aml ag sy'n bosibl, ond yn teimlo'n gymaint o Gymro ag yw o Eidalwr. Guiseppe Verdi yw ei hoff gyfansoddwr.

atebol